...an
...bus
...ugaricus
...lea clavennae
...lipendulina Actaea
...a Actaea pachypoda
... Actinidia kolomikta
...icidum Skania thapsioidny
...isina Amaranthus tricolor
...ginosa Anemone aldpentela
...ryllu Anemonopsis ...ilklirfolny
... Armeria pseudoarmeria Artemisia
...o trzciowate Asarum europaeum
...um Asplenium trichomanes Aster
...r angustifolius Barwinek mniejszy

...nek Bodziszek korzeniasty Bodziszek   łąkowy
...tricuspis Bylica Stellera Calluna   vulgaris Cardiocrinum giganteum Carlina
...ebrecarpa Celmisia...bus japonicus   Ciemiernik wschodni Ciemiężyca czarna Clematis heracleifolia
...tomnale Colchicum bowmuellieri   Colchicum byzantinum Colchicum speciosum Convolvulus cantabrica
...vori Crocis speciosus Crocus   tommasianus Crocus vernus Czerniec grubyzdowy Dianthus superbus
...ol akantolisty Dzwonkol   beckobwowy Dzwonkol Bidenstaana Dzwonkol poplocholisty Dzwonkowiec
...ryngium aquaticum Eryngium bourgatii Eryngium giganteum Eryngium glaciale Eryngium maritimum
...Eupatorium cannabinum Eupatorium purpureum Floks plamisty Floks wiechowaty Fritillaria acmopetala
...Fritillaria meleagris Fritillaria michailovskyi Fritillaria olgae Fritillaria orientalis Fritillaria pallidiflora
...vulpis Fritillaria verticillata Fritillaria walujewi Funkia babkolistna Funkia górska Galega officinalis
...provenienc. Gentiana low-onata Gentiana x ...stra Geranium argenteum Geranium macrorrhizum
...talie endensata Glinianum parum Glicynia kwiasowa Goryczka ludabkowa Goryczka paskowana
...y Grindelia robusta Grindelia scorta Grzybel ogrodowy Gymnaster savatieri Gypsophila repens
...us Helicopse helianthemus Heleborus orientalis Heuchera Hosta monsana Hosta plantaginea
...verata cylindryczna Inula magrica Inula racemosa la Irys syberyjski Limonia purpurea
...Jasminum officinarum Jasinum bezoska ... purpurowa Jaszczotka Henryga
...Kacmijesik Bugle Kaucieca Jałodlany Kacnica   mmmimmmmu
...olilu purpurea Kmiecica lak Kmagraska Kocanca
...bista ...
...arukac...
...y paszczer...
...mowe...
...o pergaz...
...am muge...
...s Miktul... Mlabe... Monarda ... Monarda ... Moze...
...okolny Pacolei l....ymu Władysgel .jabaldokny Pajeczuca szezeciany
...owks Narcuriz Niecynsnie boleski Omieg wielkokwiatowy Omieg wschodni
...Poromasie reguly Ostróżka Auremoska Ostróżka polonoglel Paeonia lactiflora
...Papolesje wirgijadokol. Paripirytum purpureum Floks wasleiaste Floks...
...łbinka Polygonatum giganteum Polygonatum affine Polygonum...
...karoszalisty Prawdnik celolistny

Eugeniusz Radziul

Ogrodowe pasje

ZYSK I S-KA
WYDAWNICTWO

Wszystkie zdjęcia wykonał Autor

Redaktor
Marta Dobrecka

Projekt
Jacek Grześkowiak

Wydanie I

ISBN 978-83-7506-307-3

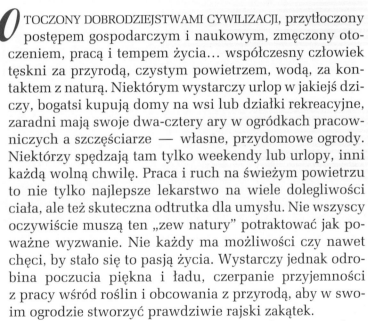

Od autora

*O*TOCZONY DOBRODZIEJSTWAMI CYWILIZACJI, przytłoczony postępem gospodarczym i naukowym, zmęczony otoczeniem, pracą i tempem życia… współczesny człowiek tęskni za przyrodą, czystym powietrzem, wodą, za kontaktem z naturą. Niektórym wystarczy urlop w jakiejś dziczy, bogatsi kupują domy na wsi lub działki rekreacyjne, zaradni mają swoje dwa-cztery ary w ogródkach pracowniczych a szczęściarze — własne, przydomowe ogrody. Niektórzy spędzają tam tylko weekendy lub urlopy, inni każdą wolną chwilę. Praca i ruch na świeżym powietrzu to nie tylko najlepsze lekarstwo na wiele dolegliwości ciała, ale też skuteczna odtrutka dla umysłu. Nie wszyscy oczywiście muszą ten „zew natury" potraktować jak poważne wyzwanie. Nie każdy ma możliwości czy nawet chęci, by stało się to pasją życia. Wystarczy jednak odrobina poczucia piękna i ładu, czerpanie przyjemności z pracy wśród roślin i obcowania z przyrodą, aby w swoim ogrodzie stworzyć prawdziwie rajski zakątek.

Analizując własny przypadek, zaryzykuję stwierdzenie, że pasje rodzą się i rozprzestrzeniają poprzez infekcję, zarażenie — tak jak grypa czy inna zakaźna dolegliwość. Trzeba gdzieś zetknąć się z taką prawdziwą pasją a jeśli tylko będziemy na nią podatni, na pewno nas dopadnie.

Przed 35 laty, gdy zaczynałem moją przygodę z tym pięknym hobby, miałem sprzyjającą sytuację, gdyż dysponowałem działką, którą mogłem z czasem powiększyć do 30 arów powierzchni. Z drugiej jednak strony warto sobie przypomnieć, jak trudno wtedy było o gotowe wzory do naśladowania. Nie było mody na ozdobne, przydomowe ogrody, a na działkach pracowniczych był nakaz uprawy warzyw i owoców. Literatury na temat roślin ozdobnych też było niewiele. Tak więc i mój ogród był zupełnie normalną działką, przeznaczoną pod uprawę warzyw i tylko od frontu udekorowaną dostępnymi wówczas kwiatami. To, że lubiłem pracę na działce i że była bardziej od sąsiednich kolorowa, nie świadczyło jeszcze o poważnym ani długotrwałym zamiłowaniu.

Przełom nastąpił po przypadkowej wizycie w małym, podmiejskim ogródku i poznaniu jego właścicielki. Od furtki, ogródek zupełnie typowy: warzywne grządki, kilka drzew i krzewów owocowych, z boku namiocik foliowy z chryzantemami i różana rabata. Wąskie (dla oszczędności powierzchni) ścieżki prowadziły w cień większej śliwy, gdzie dwie osoby miały miejsce, by usiąść, i odpocząć czy wypić herbatę. Stąd był najlepszy widok na nieco ukrytą, ozdobną część ogrodu. Miniaturowe trawniki i obwódki z armerii [zawciąg], oczko wodne z ciekawą roślinnością wewnątrz i po brzegach, skalniak obsadzony nieznanymi mi okazami, kępy dorodnych bylin, karłowe i strzyżone krzewy, iglaki, wysokie trawy. Był to na tamte czasy zupełnie niespotykany sposób zagospodarowania ogrodu, toteż patrzyłem na wszystko z niedowierzaniem. Przez resztę dnia rozpamiętywałem widziane obrazy, a gdy wieczorem nie mogłem z tego powodu zasnąć, wiedziałem, że zostałem zarażony.

Ponieważ miałem zaproszenie do następnych odwiedzin, skorzystałem z niego skwapliwie, a później raz jeszcze i jeszcze… i jeszcze. Choć początkowo nie miałem wiele do zaoferowania, zaczęliśmy wymieniać rośliny i wspólnie poszukiwać innych źródeł. Przyszła pora na prasę ogrodniczą, kontakty i wymianę z hobbystami z dalszych regionów kraju, wyjazdy na wystawy, kiermasze. Gdy otworzyły się nasze granice, przyszła kolej na dalsze wojaże, kontakty z ogrodami botanicznymi i znanymi w Europie kolekcjonerami. Moja kolekcja roślin ozdobnych szybko się rozrastała, bez skrupułów wypierając z ogrodu warzywa i krzewy owocowe. I tak to, w wolniejszym lub bardziej przyspieszonym tempie, zleciało… ponad 30 lat. Mogę chyba powiedzieć, że to pasja mojego życia.

Zdaję sobie sprawę, że mój przypadek nie jest typowy ani powszechny. Raczej rzadko zdarza się, by taka pasja miała swoje początki w czasach młodości. Łatwo to sobie jednak wytłumaczyć pracą zawodową zabierającą co najmniej osiem godzin z każdego dnia i rodziną, która absorbuje resztę doby. Jeśli udaje się wygospodarować chwilę na relaks, to jest to wypad do kina, kawiarni, na ryby czy grzyby. W weekendy i urlopy też nie uciekniemy od obowiązków wobec rodziny, która nie zawsze musi popierać nasze hobby.

Przychodzi jednak w życiu taki czas, gdy kończy się praca zawodowa, dorosłe dzieci usamodzielniają się i opuszczają rodzinne gniazdo. Pozostaje pustka, wymagająca niezwłocznego zagospodarowania, jeśli dalsze życie ma mieć sens. Ci, którzy poza pracą nie mieli żadnych innych potrzeb samorealizacji, mają większe problemy, by coś ze sobą zrobić. Hobbyści, wszystko jedno czy będą to znaczki, gołębie, ryby, kwiaty, mają ułatwione zadanie i szansę na rozbudowę zainteresowań w pasję na resztę życia.

Dlatego nie da się ukryć, że przeciętna wieku znacznej części pasjonatów oscyluje wokół przedziału przeznaczonego dla babć i dziadków. Należy tu podkreślić, że wielkość pasji nie zależy od wartości kolekcji, ilości okazów czy areału. Liczy się zapał i czerpanie przyjemności z wykonywanych zajęć. Prawdziwe jest twierdzenie, że radość życia znacznie je przedłuża.

Dla wszystkich pasjonatów przyrody, kwiatów i ogrodów przeznaczam tę książkę w nadziei, że znajdą w niej coś, co pobudzi do dalszych działań, poszukiwań, co wzbogaci kolekcję, upiększy otoczenie i życie.

Do czytelnika

OBECNIE NA RYNKU w księgarniach jest bardzo bogaty wybór literatury ogrodniczej. Warto jednak przy zakupie zwrócić uwagę na tzw. stopkę wydawcy. Może się okazać, że dana książka jest tłumaczeniem z innego języka. Oznacza to, że autor często opisuje rośliny uprawiane daleko od naszego kraju i klimatu. Nawet, wydawałoby się, tak bliskie Wyspy Brytyjskie mają zdecydowanie inny klimat i wiele roślin rosnących tam w ogrodach u nas wymarza. W moich książkach przedstawiam wyłącznie rośliny, które uprawiałem we własnym ogrodzie, i wszystkie wskazówki dotyczące uprawy przetestowane były na gruncie. Ponieważ zaś nie prowadzę ogrodnictwa ani szkółki roślin ozdobnych, nie mam żadnego interesu, by podając nieprawdziwe dane, reklamować jakiekolwiek grupy roślin.

Ogrody i rośliny

WIELE JEST SPOSOBÓW ZAGOSPODAROWANIA OGRODU, lecz przyjmowanie sztywnego podziału, kryteriów czy norm nie ma większego sensu. Wszystko bowiem i tak zależy od specyficznych warunków danego terenu, a przede wszystkim od możliwości, pomysłowości i potrzeb właściciela. Osobiście zawsze popieram indywidualne pomysły i rozwiązania. Owszem, można poczytać, podpatrzeć, zasięgnąć rady, ale co by było, gdyby wszyscy urządzali ogrody w jednym stylu? Najważniejsze, by nasz ogród nam się podobał, sąsiadom już nie musi.

Przedstawione i opisane w tej książce rośliny to zaledwie wycinek z całej, gromadzonej przez 30 lat kolekcji. Każdego roku kolekcja wzbogaca się o następne, nowe pozycje, które będą opracowywane, fotografowane i przedstawiane w kolejnych (mam nadzieję) publikacjach. Te, które trafiły do tej książki, pogrupowałem według typowych formacji ogrodowych, za jakie uważa się skalniaki, rabaty, naturalistyczne i leśne założenia, oczka wodne. Wiele roślin mogłoby jednak znaleźć się w dwóch, a nawet trzech działach. Należy przy tym pamiętać, że sukces w uprawie roślin nie zależy od dobrej ręki, ale od choćby minimalnej wiedzy na ich temat. Skąd pochodzą, jaki tam panuje klimat, jakie warunki glebowe, jaka wystawa w stosunku do słońca — te informacje ułatwią znalezienie lub przygotowanie odpowiedniego miejsca dla danej rośliny. Mniej ryzykowny i mniej pracochłonny jest dobór roślin do panujących w ogrodzie warunków. Często jednak kupujemy rośliny ładne, a dopiero później przychodzi zmartwienie, co z nimi robić. Pieska czy kotka można przymusić do mniej komfortowych warunków egzystencji, z roślinami to się najczęściej nie udaje.

Każdy dział książki zawiera krótki wstęp z praktycznymi wskazówkami, poradami dotyczącymi danego sposobu zagospodarowania roślin. Więcej informacji znajdzie czytelnik w moich poprzednich książkach: *Skalniaki, Byliny, Rośliny cenne, rzadkie, poszukiwane*.

Rabaty

RABATA JEST ZAWSZE KOJARZONA z kwiatami w ogrodzie. Jakikolwiek byłby to ogród, jeśli są w nim rabaty, to oczywiste, że są przeznaczone dla kwiatów i innych roślin ozdobnych. Nie słyszy się, by ktoś uprawiał pietruszkę na rabatach, ale raczej na grządkach. Rodzaj i charakter rabat jest bardzo zróżnicowany i zależny od wielu czynników. Pod względem uformowania mogą być płaskie, podwyższone, pochyłe. Ze względu na usytuowanie w stosunku do słońca są rabaty słoneczne, półcieniste i ocienione. Biorąc pod uwagę warunki glebowe, suche, przeciętnie wilgotne, mokre, bagienne... a także żyzne, przeciętne i jałowe... ciężkie, normalne i piaszczyste, i oczywiście wiele opcji pośrednich. Ze względu na charakter nasadzeń mogą to być rabaty dla roślin wysokich, niskich lub mieszane. Mogą być typowo bylinowe lub w połączeniu z roślinami cebulowymi, trawami i krzewami.

Warto przestrzegać zasady, by dopasowywać asortyment roślin do warunków na naszej rabacie. Minimum wiedzy i odpowiedni dobór roślin może nam zaoszczędzić pracy i niepotrzebnych wydatków.

Rabata mieszana z roślinami rocznymi: kleome, szarłat, aksamitka — ogród autora (s. 13)

Rabata słoneczna z bylinami: jeżówka, mikołajek, nachyłek — ogród autora

Rabata specjalna dla lilii — ogród autora

Rabata wilgotna: języczki i kosaćce syberyjskie — ogród autora

Acanthus hungaricus
Akant długolistny

Występuje na południu Europy, przeważnie na podgórskich łąkach i obrzeżach leśnych. Kępiasta bylina o odziomkowych, długich, paprociowych, nierówno, głęboko wcinanych pofalowanych liściach i sztywnych, wysokich do 1,5 m pędach, z czego 1 m przypada na wąski, groniasty kwiatostan. Kwiaty wargowe, białe, z karminowymi podkwiatkami i kolczastą przysadką. Kwitnie długo, od wiosny po wczesną jesień. Kwiatostany dobrze się zasuszają.

Oryginalna, malownicza, długo kwitnąca bylina na starannie przygotowane rabaty, najlepiej na lekkim skłonie. Stanowisko powinno być słoneczne lub w rozproszonym świetle, a podłoże głęboko uprawione, próchniczne z dodatkiem chudej gliny, umiarkowanie wilgotne i niezamakające zimą. Mrozoodporność wystarczająca. Młode rośliny warto okryć warstwą igliwia, kompostu. Rozmnażanie z nasion jesienią lub podział rozrośniętych kęp wiosną.

Acanthus hungaricus

Achillea filipendulina
Krwawnik wiązówkowaty

Kaukaska bylina o cienkich, lecz sztywnych, wysokich na 100-120 cm pędach i pierzastych, szaro owłosionych liściach. Latem pojawiają się okazałe baldachy złożone z drobnych, koszyczkowych kwiatków. Jedna z cenniejszych ogrodowych odmian, 'Gold Plate', ma aromatyczne, jasnozielone liście i złotożółte, płaskie baldachy osiągające 15 cm średnicy. Kwitnienie przypada na lipiec, a po przycięciu powtarza się na początku września.

Trwała i niewybredna roślina, przydatna na każdej słonecznej rabacie o lekkim i raczej suchym podłożu. Dobrze komponuje się z trawami, niebiesko kwitnącymi bylinami (np. ostróżki z grupy 'Beladonna') i roślinami jednorocznymi, np. *Callistephus chinensis* (zwane pospolicie astrami), chabrami i czarnuszką. Kwiatostany ścięte w pełni kwitnienia dobrze się zasuszają i stanowią cenny materiał w bukieciarstwie. Zimuje bez problemów.

Rozmnażanie dość łatwe przez podział, najlepiej wczesną wiosną lub po przekwitnieniu.

Achillea filipendulina 'Gold Plate'

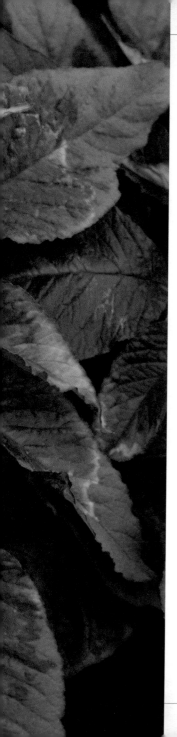

Amaranthus tricolor
Szarłat trójbarwny

Kilkadziesiąt gatunków z tego rodzaju występuje w ciepłych i tropikalnych regionach Azji i Afryki. U nas możliwe do uprawy w ogrodach jako rośliny jednoroczne. Nasiona wysiewa się w marcu-kwietniu w szklarni, najlepiej do doniczek. Podrośnięte wysadza się do gruntu pod koniec maja, gdy minie ryzyko przymrozków. Lubią zaciszne, ciepłe, słoneczne stanowiska na rabatach, przy płotach, przed ścianami. Podłoże powinno być dość żyzne, próchniczno-gliniaste, ale dobrze zdrenowane. Od żyzności i wilgotności podłoża zależy wysokość (do 1 m) roślin, pokrój i intensywność barw liści. W handlu popularne są nasiona kilku ciekawych odmian. Do wartych uwagi i zachodu na pewno należy 'Joseph's Coat' o szczytowych liściach w ogniste, żółto-czerwone desenie. Roślina pięknie prezentuje się przez całe lato, aż do pierwszych przymrozków. Kwiatki zupełnie niepozorne i niewidoczne, osadzone pęczkami w kątach liści. W zależności od pogody zawiązuje przeważnie niewielkie ilości drobnych, czarnych nasion.

Amaranthus tricolor 'Joseph's Coat'

Arundo donax 'Aureovariegata'

Arundo donax 'Variegata'

Arundo donax
Arundo trzcinowate

Pochodząca z południa Europy (basen Morza Śródziemnego) trzcinowata trawa, w warunkach naturalnych osiąga wysokość do 5 m. W naszym klimacie niezupełnie trwała i nie dorasta do maksymalnych rozmiarów. Łodygi u młodych roślin dość cienkie i niezbyt sztywne, u rozrośniętych kęp coraz grubsze, do 3 cm średnicy i do 3 m wysokie. Odmiana 'Variegata' dorasta przeważnie do 2 m i ma długie do 60 cm, szerokie do 6 cm, paskowane, biało-zielone liście. U odmiany 'Aureovariegata' zamiast białego jest kolor żółty. Późną (długą i ciepłą) jesienią wyrastają szczytowe wiechy zielonkawych, podbarwionych brązowo kłosków.

Gatunek wytrzymuje 10-stopniowe mrozy. Odmiany są wrażliwsze i wymagają starannego zabezpieczenia na zimę. Łodygi można związać razem i podsypać wysoko korą lub suchym igliwiem, a na wierzch dodatkowo nałożyć grubą warstwę suchych liści i okryć całość folią. Warto do środka, między łodygi, wsadzić kilka gałązek jałowca jako straszak na gryzonie. Ścinanie łodyg jesienią raczej nie jest wskazane, gdyż może się w nich gromadzić woda, dając początek procesom gnilnym. Wiosną, po przymrozkach, można zdemontować kopiec i nisko przyciąć łodygi. Dogodnym miejscem uprawy są słoneczne rabaty pod ścianami budynków, dające zaciszniejsze i cieplejsze stanowiska. Gleba powinna być dość żyzna, na bazie kompostu liściowego i w sezonie wilgotna. Dysponując odpowiednim (chłodnym, ale bezmroźnym) miejscem na przechowanie, arundo można uprawiać w coraz większych donicach, kublach. Mnożenie z nasion możliwe, lecz u nas nie dojrzewają. Wiosną można podzielić karpę na mniejsze części lub ukorzeniać w wodzie krótkie, ucięte w kolanku fragmenty łodyg.

Clematis heracleifolia
Powojnik barszczolistny

Pochodząca z Chin bylina o zdrewniałych u podstawy, wysokich do 1 m pędach. Liście złożone, o trzech, 10-15-centymetrowych, ząbkowanych listkach. W środku lata w kątach górnych liści osadzone pęczkami rozwijają się pachnące, rurkowate, z wywiniętymi płatkami, lila-niebieskie, długości 2-3 cm kwiatki.

Oryginalny, bylinowy powojnik nadaje się na rabaty. Wymaga jasnych stanowisk i przepuszczalnej, umiarkowanie wilgotnej, niekwaśnej gleby. Zimuje dobrze. Rozmnażanie przez podział (dość trudne) rozrośniętych egzemplarzy wiosną.

Clematis heracleifolia

Colchicum
Zimowit

Kilkadziesiąt gatunków zimowitów występuje na naturalnych stanowiskach, poczynając od Alp i basenu Morza Śródziemnego przez środkową Azję po Indie i Chiny. Większość porasta wyżynne, podgórskie i górskie łąki o dość żyznym i wilgotnym podłożu. W ogrodach uprawia się je przeważnie na rabatach, czasami na trawnikach lub między rzadko rosnącymi drzewami. Wymagają słonecznych stanowisk i próchniczno-gliniastej, zasobnej i wilgotnej gleby. Na odpowiednich stanowiskach mogą rosnąć kilka lat bez wykopywania bulw. Gatunki niższe i kwitnące wiosną sadzi się przeważnie w ogrodach skalnych.

Zimowity wcześnie rozpoczynają wegetację, wypuszczając kilka odziomkowych, eliptycznych, żebrowanych lub falistych liści. Zasychają one na początku lata i bulwy przechodzą okres spoczynku. Liście można usuwać dopiero po całkowitym zaschnięciu. Trawniki i łąki obsadzone zimowitami nie powinny być koszone, zanim zaschną liście. Lato jest odpowiednią porą na ewentualne wykopanie, przesuszenie, rozdzielenie bulw i posadzenie na nowym miejscu. Jesienią (czasami już pod koniec sierpnia) zaczynają rozwijać się lejkowate, z długą rurką kwiaty. Gatunki zawiązują nasiona w trzykomorowych torebkach. Można je wysiewać zaraz po dojrzeniu — wymagają przemrożenia.

Dostępne na naszym rynku są m.in.:

Colchicum agrippinum (zimowit dziki) — mieszaniec ogrodowy o wąskolancetowatych, falistych liściach i różowokarminowych, mozaikowatych, ok. 5 cm długich kwiatach, rozwijających się od wczesnej jesieni.

Colchicum autumnale (zimowit jesienny) — gatunek europejski, u nas prawnie chroniony. Liście (2-3) lancetowate, wzniesione. Kwiaty długości 3-4 cm, lilaróżowe na przełomie sierpnia-września. Rzadziej uprawiane są: f. *album* — o czysto białych kwiatach i 'Alboplenum' o kwiatach białych, pełnych.

Colchicum — widok ogólny

Colchicum agrippinum
Colchicum bornmuelleri

Colchicum 'Jarka'

Colchicum bornmuelleri (zimowit Bornmullera) — pochodzi z Turcji. Liście szerokolancetowate, długości ponad 20 cm. Kwiaty okazałe, do 7 cm długie, intensywnie lilaróżowe z białą nasadą płatków. Zakwita we wrześniu. Bujnie rośnie i obficie kwitnie.

Colchicum byzantinum (zimowit bizantyjski) — pochodzenie nieznane. Liście eliptyczne, mocno żebrowane, do 30 cm długie. Kwiaty bladoróżowe, długości do 5 cm. Odmiana 'Album' ma białe kwiaty. Kwitnie bardzo obficie i mnoży się dość szybko. Bulwy bardzo duże o matowej, brązowej, grubej łupinie. Jedna z cenniejszych odmian.

Colchicum 'Jarka' — nowsza odmiana o kwiatach różowych z białymi końcami płatków. Kwiaty średniej wielkości, ale dość sztywne.

Colchicum 'Lilac Wonder' — odmiana ogrodowa o szerokolancetowatych, do 25 cm długich liściach i ciemnoliliowych kwiatach o wąskich, do 6 cm długości płatkach. Przekwitające kwiaty mają tendencję do wylegania. Cenny ze względu na intensywną barwę.

Colchicum speciosum (zimowit powabny) — kaukaski gatunek o okazałych, szerokolancetowatych lub eliptycznych liściach i dużych, różowokarminowych, do 8 cm długich kwiatach. Rzadsza i jeszcze cenniejsza odmiana 'Album' ma sztywne, trwałe, czysto białe kwiaty. Jeden z cenniejszych, wielkokwiatowych zimowitów.

Colchicum 'The Giant' — odmiana ogrodowa o szerokolancetowatych, długości ponad 20 cm, żebrowanych liściach i okazałych, do 8 cm długich, intensywnie różowokarminowych kwiatach z jaśniejszą nasadą płatków. Ceniony za barwę i wielkość kwiatów.

Colchicum 'Waterlily' — odmiana ogrodowa o wąskojajowatych, do 25 cm długich liściach i pełnych, lilaróżowych, długości do 8 cm kwiatach. Kwitnie obficie, lecz ciężar kwiatów często załamuje rurkę. Bardzo efektowny.

Colchicum speciosum 'Album'

Echinacea purpurea
Jeżówka purpurowa

Bylina północnoamerykańskiej prerii oraz polan i obrzeży prześwietlonych lasów. Z pęków odziomkowych, szorstkich, jajowatych ze szpiczastym końcem, ząbkowanych liści wyrastają sztywne, rozgałęzione górą, ok. 1 m wysokie pędy zwieńczone okazałymi, do 12 cm średnicy, koszyczkami o wypukłych, kolczastych środkach. Gatunek ma różowokarminowe płatki i żółtobrązowe środki (kwiaty rurkowate). Równie znana jest odmiana białokwiatowa 'White Swan' o białych płatkach i żółtopomarańczowych środkach. Przebojem do naszych ogrodów wdzierają się nowe odmiany powstałe z krzyżowania różnych form i typów. Ciekawe mieszańce otrzymano także przy udziale żółtokwiatowej *Echinacea paradoxa*.

Do cenniejszych, zdecydowanie odróżniających się od innych, należy zaliczyć:

'Art's Pride' — wdzięczny, subtelny mieszaniec z *E. paradoxa* o koszyczkach z wąskimi, pomarańczowoczerwonymi płatkami.

'Coconut Lime' — posiada białocytrynowe płatki i bardzo wypukły, pomponowy środek.

'Double Decker' — ma pęk płatków wyrastający ze szczytu wypukłego środka.

'Green Envy' — urzeka niespotykaną kombinacją barw płatków, które są u nasady różowe, a na zewnątrz zielone. Przekwitające koszyczki tracą różową barwę.

'Hope' — zwarty pokrój rośliny i majestatyczne piękno kwiatów o średnicy do 13 cm.

Echinacea 'Art's Pride'

Echinacea 'Coconut Lime'
Echinacea 'Razzmatazz'   *Echinacea* 'Green Envy'

'**Razzmatazz**' — kolejny pompon o mniejszych płatkach i wydatnym różowym środku.

'**Sundown**' — piękność o miedzianych, płowiejących w miarę przekwitania kwiatach.

'**Sunrise**' — kolejny mieszaniec z *E. paradoxa* o żółtych, blednących koszyczkach.

'**Vintage Wine**' — elegancki, płaski (w typie gerbery), intensywnie wybarwiony.

Wszystkie jeżówki są wdzięcznym materiałem na typowe rabaty bylinowe, obrzeża drzew i kępy soliterowe. Dobrze czują się zarówno w słońcu, jak i lekkim ocienieniu, byle podłoże było w miarę żyzne, niezakwaszone i niewysychające latem. Od tego zależy kwitnienie, które może trwać aż do przymrozków. Młode rośliny zimują dobrze, starsze są mniej żywotne. Po 3-4 latach uprawy wskazane odmładzanie kęp przez podział wczesną wiosną. warto też mnożyć z nasion — wysiew wiosną na rozsadniku i późniejsze przepikowanie na miejsce stałe. Tym sposobem można wyselekcjonować kolejne ciekawe odmiany.

Echinacea 'Hope'

Echinacea tennesseensis

Nazwa pochodzi od miejsca występowania na naturalnych stanowiskach — stan Tennessee w USA. Bylina o palowym korzeniu, pędach do 70 cm wysokich i szorstko owłosionych, lancetowatych, osadzonych rozetowo liściach. Kwiaty średnicy 6-8 cm o różowokarminowych płatkach i ciemniejszym, wypukłym środku (kwiatki rurkowate). Kwitnienie przypada na lipiec-sierpień. Bliżej jesieni płatki (kwiatki języczkowe) wyginają się ku środkowi. Mniej znana ale równie ozdobna jak jeżówka purpurowa. Przydatna na słoneczne rabaty o przeciętnie żyznym, przepuszczalnym (może być żwirowe lub kamieniste), umiarkowanie wilgotnym podłożu. Zimuje dobrze, lecz starsze egzemplarze są mniej żywotne. Mnożenie z nasion wczesną wiosną.

Echinacea tennesseensis

Eryngium alpinum
Mikołajek alpejski

W naturze można go spotkać w Alpach i na Bałkanach. Bylina o grubych, długich korzeniach. Pędy gładkie, niebieskawe, do 1 m wysokości. Liście odziomkowe, jajowate, ostro ząbkowane, długie do 20 cm. Liście łodygowe ostro pocięte, siedzące, niebieskawe. Walcowaty, do 4-5 cm długi kwiatostan otoczony jest miękkimi, ażurowymi, niebieskofioletowymi, do 6 cm długimi podsadkami tworzącymi tulipanową czarkę. Kwitnienie przypada na drugą połowę lata i jesień. Kwiaty oblegane przez motyle i błonkówki. Są doskonałym materiałem na suche bukiety.

Przepiękny alpejski „oset", niezwykle dekoracyjny, szczególnie w zestawieniu z żółto i czerwono kwitnącymi roślinami lata. Najładniej wybarwiony jest w pełnym słońcu, a zdrowy wzrost zapewni mu dość żyzna, próchniczna, wapienna, niewysychająca latem gleba. Mrozoodporność bez zastrzeżeń. Mnożenie ze świeżo zebranych nasion, najlepiej od razu na miejsce stałe. Na odpowiednich stanowiskach daje samosiew. Późną jesienią można pozyskiwać sadzonki korzeniowe — kawałki długości ok. 10 cm, grubości ołówka. Dołuje się je ukośnie i dość płytko na dobrze przygotowanym zagonku.

Eryngium alpinum

Eryngium amethystinum
Mikołajek ametystowy

Bałkański, rozkrzewiony, średnio wysoki (40-
-60 cm) o zielonych, skórzastych liściach, silnie
pociętych na wąskie, kolczaste odcinki. Od połowy lata pojawiają się kuliste, na 2-3 cm długie,
ametystowe główki osadzone na wąskich, szydlastych podsadkach.
   Atrakcyjny nabytek na obrzeża rabat, kamieniste skarpy i większe skalniaki. Lubi słoneczne,
ciepłe stanowiska o przepuszczalnym, niezbyt
wilgotnym podłożu. Zimuje dobrze, szczególnie
w północnej i zachodniej części kraju. Rozmnażanie przez wysiew nasion. Ze względu na palo-
we korzenie źle znosi przesadzanie.

Eryngium amethystinum

Eryngium giganteum
Mikołajek olbrzymi

Pochodzi z Kaukazu. Przed kwitnieniem tworzy pęki odziomkowych, rozetowo osadzonych, do 15 cm długich, sercowatych, ząbkowanych liści. Po 2-3 latach od zakiełkowania wydaje mocny, do 1 m wysoki, rozgałęziony pęd z klapowanymi, kolczastymi, siedzącymi liśćmi. Na końcach rozgałęzień pędu walcowate, zielonkawe główki osadzone na szerokich, długości do 6 cm, mocno kolczastych, srebrzystozielonych kryzach (podsadkach).

Krótkowieczny, zamierający po przekwitnieniu, ale bardzo dekoracyjny, szczególnie w kępach na tle iglaków lub innych roślin o ciemnej barwie liści. Powinien rosnąć w pełnym słońcu, lecz gleba może być dość uboga i niezbyt wilgotna. Rozsiewa się sam i najlepiej rośnie nieprzesadzany. Aby przenieść go na inne miejsce, wystarczy tam rozsiać i wymieszać z wierzchnią warstwą gleby nasiona.

Eryngium giganteum

49

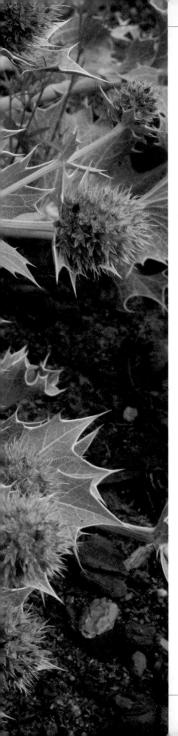

Eryngium maritimum
Mikołajek nadmorski

Krajowy gatunek występujący na nadbałtyckich wydmach i będący pod ścisłą ochroną. Cała, wysoka na 20-50 cm roślina jest pięknie niebieskawo wybarwiona. Liście sztywne, głęboko klapowane, kolczaste. Od połowy lata na końcach rozgałęzionych pędów, osadzone na szerokich, kolczastych kryzach pojawiają się okrągławe, ok. dwucentymetrowej średnicy główki złożone z drobnych, również niebieskawych kwiatków.

Bardzo malownicza roślina, pięknie prezentująca się na kamienistych rabatach, skarpach czy większych skalniakach, szczególnie na tle żółtego piaskowca lub w pobliżu żółto kwitnących, niewysokich roślin (nachyłek okółkowy, smagliczka). Wymaga stanowisk w pełnym słońcu i lekkiego, piaszczysto-żwirowego, umiarkowanie wilgotnego podłoża. Mrozoodporność pełna. Rozmnażanie ze świeżo zebranych nasion lub sadzonek korzeniowych. Nadają się do tego celu odcinki korzcni o grubości 2-5 mm i 5-10 cm długości, pozyskane jesienią.

Eryngium maritimum

Eryngium planum 'Blauer Zwerg'
Eryngium planum 'Jade Frost'

Eryngium planum
Mikołajek płaskolistny

Europejski i krajowy gatunek występujący na suchych zboczach i nie-użytkach. Z rozety odziomkowych, skórzastych, jajowatych, ząbkowa-nych liści wyrasta gruba, do 1 m wysoka, rozgałęziona łodyga z liczny-mi kulistymi, na 1-2 cm długimi główkami osadzonymi na kolczastych podsadkach. Kwitnienie rozpoczyna się od połowy lata. Odmiana 'Blauer Zwerg' ma intensywnie niebieskie główki, niższy (50-60 cm) wzrost i zwarty pokrój. Nowością jest odmiana 'Jade Frost' o podob-nych kwiatostanach, ale z bardzo ozdobnymi, kremowo-różowo ob-wiedzionymi liśćmi. Radość z jej posiadania trwa niestety krótko, gdyż po przekwitnieniu rdzeń pędu zamiera, a boczne i korzeniowe odrosty mają już zupełnie zielone liście. To niestety częste zjawisko u roślin mnożonych *in vitro*. Próby mnożenia z nasion zakończyły się porażką. Liście niewykiełkowanych siewek pozbawione są chlorofilu, a tym samym nie mają szans na przetrwanie.

O ile gatunek jest nieco chwastowaty, nadmiernie rozsiewający się i trudny do ujarzmienia, o tyle jego odmiany ogrodowe warte są miej-sca na rabacie. Zadowolą się słonecznym miejscem i każdą, przeciętną pod względem żyzności i wilgotności glebą. Mrozoodporność bez za-strzeżeń. Z nasion mogą nie powtarzać swoich pozytywnych cech, ale łatwo je (z wyjątkiem 'Jade Frost') rozmnożyć przez pozyskane jesienią sadzonki korzeniowe.

Eryngium yuccifolium — liście

Eryngium yuccifolium
Mikołajek jukkolistny

Mylony często z mikołajkiem agawolistnym, odróżnia się od niego szarą barwą podłużnie unerwionych liści i białawymi, owalnymi, na 2-4 cm długimi główkami kwiatostanów osadzonych na krótkich, szydlastych podsadkach. Kwiaty rozwijają się latem i są osadzone na sztywnych, mających powyżej 1 m wysokości, rozgałęzionych pędach.

Północnoamerykański gatunek możliwy do uprawy w naszym klimacie, przydatny na rabatach bylinowych i mieszanych z trawami i roślinami cebulowymi. Jak wszystkie mikołajki kocha słońce i zadowala się każdą przeciętnie żyzną, przepuszczalną, umiarkowanie wilgotną i niezakwaszoną glebą. Zimuje dobrze, lecz starsze egzemplarze są mniej żywotne. Nasiona najlepiej wysiewać od razu po zbiorze, po kilka do doniczek lub od razu na miejsce stałe.

Eryngium yuccifolium — kwiatostany

Eryngium x zabelii
Mikołajek Zabela

Krzyżówka *E. alpinum* x *E. bourgatii* o pokroju i liściach podobnych do pierwszego z rodziców. Główki kwiatowe walcowate, niebieskawe z kryzą sztywnych, węższych i bardziej kolczastych niż u mikołajka alpejskiego podsadek. Kwitnie pod koniec lata.

Równie jak gatunki rodzicielskie ozdobny. Zastosowanie i wymagania jak *E. alpinum*, lecz znosi suchsze podłoże. Nie zawiązuje nasion, natomiast daje boczne odrosty. Łatwo również mnoży się z sadzonek korzeniowych.

Eryngium x zabelii

Gaura lindheimeri
Gaura Lindheimera

Gatunek w naturze występuje w środkowych stanach USA. W ogrodach sadzi się przeważnie odmiany różniące się pokrojem, barwą liści i kwiatów. Z nowszych odmian warto polecić 'Lillipop Pink' o dość zwartym pokroju, bordowych łodygach i liściach oraz wyraźnie różowych kwiatach. Sprzedawana jest przeważnie jako odmiana karłowa i w doniczce przeważnie osiąga ok. 20 cm wysokości. Po zasadzeniu w ogrodzie pędy wydłużają się i mogą mieć 40--80 cm długości. Liście lancetowate, do 6 cm długie, tępo zakończone, szorstkie. Kwiaty ok. 3,5 cm średnicy w długich, kłosowatych gronach.

Intensywnie zabarwiona i kwitnąca całe lato, niestety niezbyt trwała bylina, przydatna na słoneczne rabaty o próchnicznym, przepuszczalnym, umiarkowanie wilgotnym podłożu. Młode rośliny zimują dość dobrze, starsze należy okryć jedliną i okopcować kompostem lub korą. Rozmnażanie przez podział (wiosną) lub letnie sadzonkowanie niekwitnących pędów.

Gaura lindheimeri 'Lillipop Pink'

Gentiana asclepiadea
Goryczka trojeściowa

Krajowa, chroniona, występująca przeważnie na podgórskich łąkach, halach, zrębach i w rzadkich lasach. Na naturalnych stanowiskach łukowato wygięte łodygi dorastają do 1 m wysokości, w ogrodach przeważnie jest niższa. Liście siedzące, szerokolancetowate, długo zaostrzone, wyraźnie unerwione. Kwiaty szerokodzwonkowato-lejkowate, do 5 cm długie, u gatunku niebieskofioletowe w jaśniejsze smugi i ciemne drobne kropki, osadzone po 1-3 w kątach wyższych liści. Odmiany ogrodowe: 'Alba' ma białe, zielono punktowane kwiaty a 'Rosea' — jasnoróżowe w ciemniejsze pasy z wierzchu. Kwitnienie przypada na okres od połowy lata i trwa ponad miesiąc.

Trwała, wdzięczna bylina, polecana (szczególnie odmiany) na słoneczne rabaty, obrzeża krzewów i drzew. Toleruje różne rodzaje gleb, od wapiennych po lekko kwaśne, byle były żyzne, przepuszczalne, lecz dość chłodne i niewysychające latem. Mrozoodporność bez zastrzeżeń. Mnożenie z jesiennego wysiewu nasion — wymagają przemrożenia. Odmiany powtarzają cechy, ale nie w 100%, jednak warto wysiewać i selekcjonować potomstwo. Starsze kępy można dzielić na przedwiośniu.

Gentiana asclepiadea

Gentiana asclepiadea 'Alba'

Gentiana asclepiadea 'Rosea'

Grindelia robusta
Grindelia zwarta

Pochodzi z południowych i zachodnich stanów USA oraz Meksyku. Jest wysoką do 1 m byliną o sztywnych, zaczerwienionych łodygach i nieco skórzastych, siedzących, 15-20-centymetrowych, łopatkowatych, ząbkowanych liściach. Przcz całe lalo i początek jesieni pojawiają się żółte, mające do 5 cm średnicy koszyczki, osadzone na rozgałęzionych końcach pędów. Podczas kwitnienia łodygi często wylegają, lecz jeśli mają dość miejsca, wznoszą kwiaty ku górze i nie szpeci to zbytnio całej kępy.

Malownicza, obficie kwitnąca całe lato, bujna bylina przydatna na większe rabaty, skarpy i przedmurza. Wymaga ciepłych, słonecznych stanowisk i dobrze zdrenowanego, umiarkowanie wilgotnego, alkalicznego podłoża. Starsze, rozrośnięte kępy mogą podmarzać podczas ostrej, bezśnieżnej zimy. Pozostaje jednak przeważnie część młodszych pędów, która szybko odbudowuje stan poprzedni. Poza lym wokoło roślin dorosłych pojawia się dość obfity samosiew. Wystarczy rozpikować młode roślinki na nowe miejsce lub uzupełnić nimi wypady.

Grindelia robusta

Gymnaster savatieri

Gatunek pochodzi z Wysp Japońskich. W handlu i naszych ogrodach raczej nieobecny. Na większych kiermaszach dla zaawansowanych kolekcjonerów zdarza się go spotkać, ale przeważnie pod nazwą *Aster savatieri*. Z pokroju i kwiatów podobny do astrów jesiennych (marcinki) i w sumie niczym specjalnym się nie wyróżnia. Warto jednak zdobyć do ogrodu jego odmianę 'Variegata' i przeznaczyć dla niej wyeksponowane miejsce. Jest kępiastą, na 40-60 cm wysoką byliną o sztywnych, rozgałęzionych łodygach. Liście dolne szerokolancetowate, do 9 cm długie i 3 cm szerokie, wyraźnie ząbkowane. Liście na kwitnących odgałęzieniach łodygi są dużo mniejsze, węższe i prawie bez ząbków. Na wielu liściach, nieregularnie, występują kremowe smugi, plamy, a część liści jest zupełnie pozbawiona chlorofilu. Kwiatki niewielkie, ok. 2 cm średnicy, bladoniebieskie, pojedynczo lub po 2-3 na końcach rozgałęzień. Kwitnie od połowy września.

Dekoracyjna ciekawostka, nadająca się na rabaty bylinowe i mieszane. Ładnie kontrastuje z żółtymi rudbekiami, słonecznikami i jednorocznymi aksamitkami. Może rosnąć w pełnym słońcu lub z bocznym ocienieniem. Podłoże powinno być próchniczne, umiarkowanie wilgotne. Zimuje bez problemów. Mnożenie łatwe, przez odcinanie ukorzenionych pędów po obwodzie kępy — wiosną.

Gymnaster savatieri 'Variegata'

Heliopsis 'Asahi'
Heliopsis 'Loraine Sunshine'

Heliopsis helianthoides var. scabra
Słoneczniczek zwyczajny odm. szorstka

Gatunek pochodzi z północnoamerykańskiej prerii i przerzedzonych lasów. Jest trwałą, do 1,5 m wysoką byliną o prostych pędach i eliptycznych, ząbkowanych liściach. Odmiana *scabra* ma liście na 5-15 cm długie, szorstko owłosione. Koszyczki żółte, do 10 cm średnicy, przeważnie pojedynczo na końcach pędów. Kwitnie latem.

Do ogrodu warto wprowadzić nowe, atrakcyjniejsze odmiany, np.:

'Asahi' — o niewielkich, lecz pełnych, żółtopomarańczowych koszyczkach. Kwitnie obficie przez całe lato.

'Loraine Sunshine' — z typowymi, żółtymi koszyczkami, lecz o bardzo dekoracyjnym, biało-zielonym ulistnieniu.

Słoneczniczki są bardzo wdzięcznymi bylinami rabatowymi. Nie mają wielkich wymagań, dobrze komponują się z większością średnio wysokich bylin i długo kwitną. Przeciętnie żyzna i umiarkowanie wilgotna latem gleba wystarczy do prawidłowego rozwoju i obfitego kwitnienia. Odmiana 'Loraine Sunshine' powinna rosnąć w lekkim ocienieniu od południowej strony, gdyż słońce może przypalać bezchlorofilowe części liści. Mrozoodporność bez zastrzeżeń. Mnożenie przez podział wczesną wiosną. Latem można ukorzeniać wierzchołki niekwitnących pędów. Barwnolistna odmiana częściowo powtarza tę cechę przy mnożeniu z nasion. Siewki trzeba chronić przed palącym słońcem, zanim nie wykształcą się właściwe liście.

Heuchera
Żurawka

Kilkadziesiąt gatunków z tego rodzaju występuje w górzystych terenach Ameryki Północnej. W ogrodach uprawia się liczne odmiany mieszańcowe pochodzące od *H. cylindrica*, *H. micrantha*, *H. sanguinea* i innych. Wszystkie są kępiastymi bylinami ozdobnymi przede wszystkim dzięki liściom. Długoogonkowe, okrągłe lub sercowate, mające 8-12 cm średnicy, klapowane i ząbkowane liście mogą być wielobarwne, z kontrastowym unerwieniem lub plamami. Kwiaty drobne, białawe, różowe lub czerwone, zebrane w wąskie grona lub wiechy — u większości odmian bez większego znaczenia.

Z nowszych, ciekawszych odmian warto do ogrodu wprowadzić:
'Blackberry Jam' — liście faliste, do 10 cm średnicy, bardzo ciemne, z wierzchu barwy śliwkowej w srebrne plamy, spód nieco buraczkowy.

'Citronelle' — liście jednolicie cytrynowe, starsze nieco bardziej żółte.

'Creme Brulee' — liście duże, do 12 cm średnicy, nowo wyrastające ceglastoczerwone, później bledną, przyjmując barwy pomarańczowe, oliwkowe i żółte.

'Green Spice' — liście z brązowozielonym unerwieniem na srebrzystym tle blaszki. Młode liście mają większy kontrast barw.

Żurawki należą do tzw. podstawowego doboru roślin na rabaty. Ponieważ tworzą gęste, wypukłe kępy, powinny rosnąć na skraju rabat, gdzie zachowają właściwy pokrój i barwy. Mogą rosnąć również na obrzeżach krzewów czy iglaków, ale od nasłonecznionej strony i raczej pojedynczo, w bezpiecznej odległości od wyższych roślin. Dobrze rosną na każdej, próchnicznej, latem dość wilgotnej glebie. Zimują bez problemów, lecz starsze kępy tracą wigor i należy je dzielić. Dobrze jest rok wcześniej zasypać wnętrze kępy kompostem, aby pobudzić nasady pędów do wytwarzania korzeni. Odmiany mnoży się wyłącznie przez podział, najlepiej wczesną wiosną.

Heuchera 'Blackberry Jam'

Heuchera 'Citronelle'
Heuchera 'Creme Brulee'

Heuchera 'Green Spice'

Imperata cylindrica
Imperata cylindryczna

Gatunek występuje na łąkach i obrzeżach leśnych w Chinach, Korei i Japonii. W ogrodach uprawia się najczęściej odmianę 'Rubra' (znaną także pod nazwą 'Rcd Baron'). Jest to trawa o luźnym pokroju, na 30-50 cm wysoka, z równowąskimi, ok. 1 cm szerokimi liśćmi. Początkowo liście są soczyście zielone, ale latem zaczynają się przebarwiać na karminowo. Wczesną jesienią barwy są najintensywniejsze. Białe, puszyste kłoski tworzące wąskie wiechy pojawiają się latem, jednak na tle liści nie są większym walorem.

Jedna z ładniejszych traw w ogrodzie. Nadaje się na rabaty, obrzeża krzewów, iglaków, na wrzosowiska. Dobrze wybarwia się na stanowiskach słonecznych lub lekko od południa ocienionych. Podłoże powinno być próchniczne, przepuszczalne, umiarkowanie wilgotne. Wytrzymuje mrozy do −15°C. Mnożenie przez podział, wyłącznie wiosną. Dzielone, przesadzane latem należy grubo okryć jedliną na pierwszą zimę.

Imperata cylindrica 'Rubra'

Iris 'Black Dragon'
Iris 'Gnu'

Iris barbata elatior
Kosaciec bródkowy, wielkokwiatowy

Zwane także *Iris hybrida*, pochodzą od europejskich gatunków *I. pallida* i *I. variegata*. Mieszańce charakteryzują się wysokimi (70-90 cm), rozgałęzionymi pędami wyrastającymi z grubych, członowych kłączy. Liście szablaste, do 50 cm długie (pędowe krótsze), sinozielone. Zarejestrowanych dotychczas jest kilkadziesiąt tysięcy ogrodowych odmian mieszańcowych o zróżnicowanej sile wzrostu, obfitości kwiatów, porze kwitnienia i we wszystkich możliwych kolorach, odcieniach i kombinacjach barw. Najbardziej „płodni" są amerykańscy hodowcy, stąd zapewne ma uzasadnienie nazwa „irysy amerykańskie" używana przy określaniu najnowszych odmian. Wiele tych nowości ma bardzo duże kwiaty o fantazyjnie pofalowanych, wielobarwnych (także pstrych) płatkach. Niektóre dodatkowo przyjemnie pachną. Kwitnienie przypada na przełom maja i czerwca.

Iris 'Haut Les Voiles'

Iris 'Sneezy'

Iris 'Tennessee Woman'
Iris 'Whispering Spirit'

Do przedstawicieli nowszej generacji (na naszym rynku) można zaliczyć m.in.:

'Black Dragon' — kwiaty aksamitne, dolne płatki czarne, górne granatowoczarne. Bródka granatowa.

'Confidante' — górne płatki matoworóżowe, dolne ciemniejsze z jasną plamą i czerwoną bródką. Odmiana do 1 m wysoka.

'Ginger Swirl' — kwiaty orzechowożółte, na dolnych płatkach szeroka, biała z lilaróżowym cieniem plama.

'Gnu' — górne płatki lawendowe, dolne ciemniejsze w białe smugi i prążki. Bródka ruda.

'Haut Les Voiles' — płatki górne cytrynowożółte, silnie pofalowane, dolne lawendowoniebieskie, również faliste. Piękne, kontrastowe zestawienie barw.

'Select Circle' — góra bordowa z fioletowymi i czarnymi cieniami, dół z szeroką białą plamą.

'Sneezy' — kwiaty żółto-pomarańczowo-brązowe z jasną plamą na dolnych płatkach. Bródka pomarańczowa. Płatki silnie faliste.

'Tennessee Woman' — górne płatki żółte w niewyraźny, fioletowy marmurek, dolne z jasną plamą i fioletowo kropkowanym brzegiem. Bródka pomarańczowa.

'Whispering Spirit' — góra kremowobiała, dół podobny, lecz z żółtym brzegiem i gęstymi, kropkami, plamkami w kolorze bordowym i fioletowym.

Ligularia dentata
Języczka pomarańczowa

Gatunek pochodzi z Chin i Japonii. W ogrodach przeważnie odmiany, z których do nowszych i ładniejszych z pewnością można zaliczyć 'Brit Marie Crawford'. Kępiasta bylina o odziomkowych, długoogonkowych, prawie okrągłych, płytko ząbkowanych, do 30 cm średnicy, gładkich liściach. Od wiosny do jesieni mają one ciemne zabarwienie. Z wierzchu oliwkowo-bordowe, a od spodu bardziej fioletowe (indygo). Od połowy lata na sięgających ok. 1 m pędach rozwijają się płaskie baldachogrona złożone z pomarańczowych, do 10 cm średnicy koszyczków.

Piękna, kontrastowo zabarwiona roślina, przydatna na każdej rabacie. Intensywność barw zachowuje na słonecznych stanowiskach. Gleba musi być dość żyzna i nie może latem wysychać. Zimuje bez problemów. Mnożenie przez podział rozrośniętych kęp wiosną. Z nasion można otrzymać niejednolite potomstwo, szczególnie jeżeli są w ogrodzie inne odmiany tej języczki.

Ligularia 'Brit Marie Crawford'

Lilium hybridum
Lilia ogrodowa

Rodzaj *Lilium* jest reprezentowany przez ponad 100 gatunków występujących w Europie, Azji i Ameryce Północnej. W ogrodach jednak uprawia się przeważnie mieszańce uzyskane z wielokrotnych krzyżowań różnych gatunków i odmian. Powstałe kilka tysięcy mieszańców sklasyfikowano w 9 grupach, lecz wciąż powstają nowe, o coraz bardziej zawiłym, często trudnym do ustalenia rodowodzie. W każdym ogrodzie znajdzie się miejsce na lilie, warto więc przyjrzeć się niektórym, nowszym odmianom.

Mieszańce azjatyckie (AS) to najliczniej reprezentowana grupa powstała z gatunków występujących przeważnie w północnej części Azji. Mieszańce i odmiany różnią się wysokością, wielkością i budową kwiatostanów, barwą i ułożeniem kwiatów. Uchodzą za łatwe w uprawie. Mogą rosnąć w słońcu lub lekkim, czasowym (kilka godzin) ocienieniu. Sadzi się je przeważnie na rabatach bylinowych, na obrzeżach krzewów i wśród karłowych iglaków. Tolerują różne rodzaje gleb, lecz muszą być głęboko uprawione, próchniczne, raczej bezwapienne, latem umiarkowanie wilgotne i niezamakające zimą. Cebule sadzi się jesienią, chociaż coraz częściej oferowane cebule z chłodni można sadzić również wiosną. Głębokość sadzenia zależy od wielkości cebuli. Przyjmuje się, że najkorzystniejsza jest równa trzykrotnej wysokości cebuli. Kupując lub przesadzając lilie (wszystkie), należy zwracać szczególną uwagę na korzenie. Od ich ilości i stanu zależy dalszy rozwój i kwitnienie rośliny. Lilie azjatyckie zimują w naszym klimacie dobrze. Ściółkowanie gleby (korą, igliwiem) jest korzystne, gdyż schładza i spulchnia podłoże. W uprawie amatorskiej rzadko mnoży się lilie z nasion, choć w ten sposób powstają nowe odmiany. Przeważnie rozdziela się luźniej zrośnięte cebule lub odejmuje młode, powstające przy pędzie. Cebulki pędowe, powstające w kątach liści u niektórych gatunków i odmian, też nadają się do dalszej hodowli.

Lilium AS 'Aphrodite'

Lilium AS 'Landini'
Lilium AS 'Netty's Pride'

Do ciekawszych przedstawicieli tej grupy z pewnością można zaliczyć:

'Aphrodite' — o pełnych, różowych, płowiejących podczas przekwitania kwiatach.

'Coctail Twins' — kwiaty duże, pełne, ogniście pomarańczowe.

'Landini' — aksamitne, fioletowoczarne, skierowane do góry kielichy.

'Lollypop' — dwubarwna, biało-czerwona.

'Netty's Pride' — biała z gęstym, bordowym kropkowaniem (tzw. brushmark) wewnątrz.

Mieszańce longiflorum (LO) pochodzą od gatunków rosnących w cieplejszych regionach Japonii i na Tajwanie. Podstawowy gatunek *L. longiflorum*, jako niezupełnie w naszym klimacie mrozoodporny, uprawiany był do niedawna prawie wyłącznie w szklarniach i na kwiat cięty. Mieszańce zyskały nieco na żywotności i wiele na urodzie. Można je uprawiać w ogrodach na staranniej przygotowanych stanowiskach lub specjalnych rabatach liliowych. Dobrze czują się w rozproszonym świetle lub z bocznym, południowym ocienieniem. Nie mogą jednak rosnąć bezpośrednio pod okapem drzew. Gleba musi być bardzo żyzna, kompostowa z domieszką chudej gliny, odkwaszonego torfu i starego obornika. Na zimę wskazane zasypanie stanowiska warstwą kory, igliwia, bukowych liści. Torf włóknisty jest mniej przydatny, gdyż chłonie i przetrzymuje duże ilości wody, co nie jest zbyt korzystne dla cebul i wyrastających wiosną młodych pędów.

Dostępne w handlu i warte uprawy są np.:

'Elegant Lady' — o czysto różowych, szerokolejkowatych kwiatach.

'Prince Promise' — kwiaty duże, jasnoróżowe, wewnątrz ciemniejsze.

'Sacre Coeur' — długie, białe z lekko seledynowym wierzchem lejki.

'Sea Treasure' — szerokie lejki, płatki białe z różową smugą przez środek.

'Triumphator' — białe z różową gardzielą, długie do 20 cm lejki.

Mieszańce martagon (MA) są efektem krzyżowania europejskiej lilii złotogłów i kilku gatunków azjatyckich (*L. hansonii*, *L. medeloides*, *L. tsingtauense*). Mieszańce mają charakterystyczne okółki eliptycznych

Lilium LO 'Prince Promise'
Lilium LO 'Sacre Coeur'

Lilium MA 'Marhan'
Lilium MA 'Mrs. R.O. Backhouse'

liści i niewielkie, turbanowe, pachnące kwiaty. W ogrodzie mogą mieć szerokie zastosowanie. Znoszą pełne nasłonecznienie, więc odpowiednim miejscem uprawy będą rabaty, niewysokie skarpy, wzniesienia. Nie wymagają zbyt żyznej gleby. Najlepsza piaszczysto-próchniczno-gliniasta, obojętna lub lekko alkaliczna, umiarkowanie wilgotna latem i niezalewana zimą. Mrozoodporność wystarczająca.

Cennym nabytkiem w każdej kolekcji będą:

'Marhan' — kwiaty pomarańczowe z rzadkimi, ciemniejszymi plamkami. Wysoka do 2 m, kwitnie obficie, żywotna.

'Mrs. R.O. Backhouse' — kwiaty z wierzchu zaróżowione, wewnątrz żółte z czerwonymi kropkami. Łodygi do 1 m wysokości.

'Paisley Hybrid' — kwiaty niewielkie, morelowożółte, bez kropek. Wysokość do 120 cm, bardzo regularny kwiatostan.

Mieszańce trąbkowe (TR) powstały przy udziale kilku chińskich gatunków, z pierwszoplanową rolą lilii królewskiej (*L. regale*). Mieszańce charakteryzują się dość dużymi, pachnącymi kwiatami w kształcie od płaskiej miseczki do wąskiego lejka. W uprawie dość łatwe, przydatne na rabaty z bylinami, trawami i niskimi krzewami. Gleba może być przeciętnie żyzna, ale głęboko uprawiona. Duże cebule sadzi się dość głęboko i korzenie lepiej rozrastają się w pulchnym podłożu. Na odpowiednich stanowiskach zimuje bez problemów.

Do chętnie sadzonych w ogrodach można zaliczyć m.in.:

'African Queen' — kwiaty skierowane na boki i w dół, żółte z ciemnymi pasami na wierzchu.

'Aldona' — kwiaty szeroko rozchylone, białe z pomarańczową gardzielą.

Mieszańce orientalne (OR) zawdzięczamy gatunkom rosnącym na naturalnych stanowiskach w Japonii. Bardzo liczna grupa mieszańców zróżnicowana pod względem siły wzrostu, a także ilości, wielkości, kształtu i barwy kwiatów. Uroda kwiatów może skusić najwybredniejsze gusty, lecz powodzenie w uprawie jest bardziej niż u innych grup uwarunkowane. Najlepszym sposobem uprawy są specjalnie dla nich

Lilium TR 'African Queen'
Lilium TR 'Aldona'

Lilium OR 'Dizzy'
Lilium OR 'Double Prize'

przygotowane rabaty. Należy je zakładać w miejscach słonecznych, ale osłoniętych od wiatru. Mateczna gleba ogrodowa w tym miejscu będzie prawdopodobnie wymagała gruntownej „przebudowy". Należy głęboko przekopać podłoże, dodając spore ilości włóknistego, kwaśnego torfu, ścioły leśnej, kompostu liściowego, starych trocin, kory, chudej gliny. Całość powinna tworzyć ok. 30-centymetrowej wysokości wał, groblę — długą w zależności od planowanej liczby cebul. Dookoła tak podwyższonej rabaty należy uformować płytki rowek (ścieżkę), przewidując konieczność nawadniania w czasie lata. Nasączanic podłoża poprzez zalewanie rowka wodą jest przeważnie konieczne w czasie intensywnego wzrostu pędów i kwitnienia. Zraszanie, podlewanie pogłówne sprzyja rozwojowi chorób grzybowych i niszczy delikatne kwiaty. Ponieważ mieszańce orientalne (jak niemal wszystkie lilie) lubią mieć chłodno „w nogach", warto między roślinami wysiać lub rozpikować jakieś niskie, ścielące się rośliny jednoroczne. Nadają się do tego np.: facelia dzwonkowata, porcelanka, nemezja, smagliczka, niskie aksamitki. Mieszańce zimują lepiej niż gatunki rodzicielskie, jednak zasypanie stanowiska korą lub okrycie jedliną na pewno nie zaszkodzi — szczególnie podczas bezśnieżnej, mroźnej zimy.

Nabycie cebul nie jest już wielkim problemem, gorzej może być z wyborem. Odmian jest dużo, każdego roku dochodzą nowe, a wszystkie są piękne. Warto przy zakupie sprawdzać zdrowotność cebul. Mocno zwiędnięte, z uszkodzonymi łuskami, brązowymi plamami lub bez korzeni nie rokują powodzenia w uprawie.

Spośród wielu uprawianych polecić mogę:

'Dizzy' — o dużych, szeroko otwartych, białych z szerokim, karminowym pasem przez środek płatków i wyraźnymi kropkami kwiatach.

'Double Prize' — pełnokwiatowa, delikatnie różowa.

'Sweetheart' — kwiaty duże, białe z rozmytym, różowym rumieńcem i plamkami.

'Tom Pouce' — kwiaty z białym wnętrzem i lilaróżowymi końcami płatków.

Mieszańce orienpet (OT) to aktualnie najmodniejsza, najbardziej poszukiwana i właściwie chyba najefektowniejsza grupa. Skrzyżowanie lilii orientalnych i ich mieszańców z liliami trąbkowymi dało przepiękne nowe mieszańce. Wiele z nich charakteryzuje się imponującym (nawet ponad 2 m) wzrostem, olbrzymimi kwiatostanami złożonymi z kilkudziesięciu kwiatów w fantastycznych kompozycjach kolorów i o odmiennych kształtach. Kwiaty większości odmian wydzielają intensywny (szczególnie wieczorem) zapach. Ogólne zasady uprawy podobnie jak w przypadku mieszańców orientalnych. Specjalne, podwyższone rabaty z mieszanki leśno-kompostowej, bezwapiennej gleby, słoneczne stanowisko i dostatek wilgoci podczas lata — to podstawowe wymogi. Cebule są przeważnie bardzo duże, więc i głębokość sadzenia większa, a co za tym idzie — wyższa (grubsza) powinna być warstwa uprawowa podłoża. Schłodzenie powierzchni gleby przez podsiew okrywowych roślin wskazane. Na odpowiednio przygotowanych stanowiskach kwiaty rosną zdrowo i zimują dobrze. Zagrożeniem są wczesne przymrozki, gdyż niektóre odmiany zbyt wcześnie zaczynają wzrost i młode pędy są uszkadzane przez ujemne temperatury. Środkiem zaradczym może tu być okrycie zagonu włókniną rozpostartą na prętach, palikach wystających ponad wysokość łodyg lilii. Mnożenie z nasion może dać kolejne ciekawe odmiany, lecz jest to proces dość długotrwały. Amatorsko mnoży się z cebul przybyszowych, rzadziej z łusek.

Zapewne subiektywnie (bo nie to ładne, co ładne, ale co się komu podoba) za najładniejsze z uprawianych dotychczas uważam:

'American Original' — wysokość 1,5 m, kwiaty duże, pomarańczowo-brązowe.

'Anastasia' — do 2 m wysoka, kwiaty białe z rozmytym, różowym środkiem.

'Arabesque' — ponad 2 m wysoka, kwiaty karminowe z jasnym brzegiem.

'Black Beauty' — kwiaty średniej wielkości, wiśniowe z czarnymi kropkami i jasnym brzegiem. Kwitnie późno, lecz obficie. Stara, cenna odmiana, pierwszy mieszaniec orienpet.

'Leslie Favorite' — na 1,5 m wysoka, kwiaty białe z kontrastowym, kasztanowym wnętrzem.

'Leslie Woodriff' — na 1,8-2 m wysoka, kwiaty ciemnokarminowe z białymi końcami. Silna, zdrowa, jedna z najcenniejszych z tej grupy.

Lilium OT 'Anastasia'

Lilium OT 'Shocking'
Lilium OT 'Silk Road'

'Orania' — 1,2 m, kwiaty pomarańczowe, skierowane na boki. Kwitnie obficie.

'Red Hot' — 1,5 m, kwiaty łososiowo-czerwone z drobnymi kropkami.

'Robert Swanson' — wysoka na 1,5 m, kwiaty turbanowe, żółto-czerwone, średniej wielkości.

'Scheherezade' — wysokość 1,5-1,8 m, kwiaty turbanowe, wiśniowo-bordowe z ciemnymi cętkami i jasnym brzegiem. Jedna z najciemniejszych OT.

'Shocking' — wysokość 1,2-1,5 m, kwiaty olbrzymie, ponad 20 cm średnicy, żółte z czerwonym wnętrzem. Godna nadanej nazwy.

'Silk Road' — wysokość 1,5 m, kwiaty biało-karminowe. Medalowa, zdrowo rosnąca i obficie kwitnąca.

'Visaversa' — wysokość 1,2 m, kwiaty czysto czerwone, bez kropek.

Lilie botaniczne — czyli gatunki i ich odmiany występujące gdzieś na naturalnych stanowiskach. Spośród ok. 100 gatunków występujących przeważnie w lasach, zaroślach, i na łąkach w Europie, Azji i Ameryce Północnej, niewiele nadaje się do uprawy w ogrodach. Ukształtowane przez wieki przez naturalne środowisko, do idealnego rozwoju potrzebują właśnie jego, a to życzenie przeważnie dość trudno spełnić. Dla wielu gatunków ważne są nie tylko parametry podłoża, ale także długość pór roku, długość dnia, a nawet ciśnienie atmosferyczne. Na szczęście są również gatunki i odmiany zupełnie dobrze znoszące nasz klimat i często przy niewielkich nakładach można pokusić się o wprowadzenie ich do ogrodu. Niektóre mogą rosnąć na rabatach bylinowych, inne (z leśnym rodowodem) w cienistych miejscach ogrodu, na obrzeżach krzewów i wśród iglaków.

Miłośnikom subtelniejszych, liliowych kolorów i aromatów polecam z tej grupy:

Lilium canadense (lilia kanadyjska) — pochodzi ze wschodniego wybrzeża Ameryki Północnej. Pędy cienkie, 1-1,5 m wysokie. Liście lancetowate, w okółkach. Kwiaty nieduże, zwisające na długich szypułkach, żółte w nieliczne, brązowe cętki. Bardzo malownicza.

Lilium cernuum (lilia zwisła) — gatunek pochodzący z Mandżurii i Korei. Pędy dość cienkie, do 60 cm wysokie. Kwiaty niewielkie,

Lilium canadense
Lilium duchartrei

Lilium cernuum

4-5 cm średnicy, turbanowe, lilaróżowe w niewyraźne cętki, pachnące. Odmiana *Lilium cernuum var. candidum* ma mlecznobiałe, zaróżowione z wierzchu kwiaty. Wyższa, osiąga do 1 m i kwitnie obficiej. Obie nadają się na lekko ocienione miejsca i próchniczną, liściową glebę.

Lilium davidii (lilia Dawida) — pochodzi z Chin. Wysoka do 1,8 m z dużymi, stożkowatymi kwiatostanami. Kwiaty turbanowe, do 8 cm średnicy, ogniście pomarańczowe z czarnymi plamkami. Może rosnąć na rabatach wśród bylin. Nie lubi podmokłej gleby. Mrozoodporna.

Lilium duchartrei (lilia Duchartrera) — kolejna chińska piękność. Dość cienkie, do 1 m wysokie łodygi dźwigają 5-12 turbanowych, mających 6-8 cm średnicy, białych z lekkim różowym cieniem i wiśniowymi plamkami kwiatów. Nadaje się na stanowiska słoneczne lub w rozproszonym świetle. Podłoże próchniczne, przepuszczalne, umiarkowanie wilgotne. Zimuje dobrze, ale opadłe z drzew liście i igliwie warto pozostawić niezgrabione.

Lilium henryi (lilia Henry'ego) — również gatunek chiński. Dorastające powyżej 2 m łodygi dźwigają po kilkanaście kwiatów. Są one turbanowe, do 10 cm średnicy, pomarańczowe z ciemnymi cętkami i wyrostkami u nasady płatków. Odmiana *L. henryi var. album* ma kwiaty białe z pomarańczowym środkiem. Nadaje się na obrzeża krzewów i rabaty z bocznym ocienieniem. Podłoże powinno być próchniczne, niezamakające, obojętne lub lekko wapienne. Zimowanie bez problemów.

Lilium lancifolium (lilia tygrysia) — azjatycka (Chiny, Japonia), okazała lilia o mocnych, do 1,5 m wysokich łodygach i licznych, pomarańczowych, ciemno nakrapianych, o 10-14 cm średnicy, turbanowych kwiatach. Odmiana 'Flore Pleno' ma kwiaty o zwiększonej liczbie płatków. Żywotna i niewybredna. Odpowiednie rozmiary i obfitość kwitnienia zapewni jej dość żyzna, średnio wilgotna i lekko kwaśna gleba oraz stanowisko w rozproszonym świetle lub z południowym ocienieniem. Zimuje bez problemów i sama może się rozsiewać z cebulek pędowych powstających w kątach liści.

Lilium pyrenaicum

Lilium martagon (lilia złotogłów) — europejska, także nasza (chroniona) lilia występująca w widnych lasach, na zrębach, polanach, podgórskich halach. Sztywne łodygi dorastają do 1,5 m, z czego 1/3 może przypadać na kwiatostan złożony z niewielkich, turbanowych, różowych z nielicznymi kropkami kwiatków. Odmiana *L. martagon var. album* ma czysto białe kwiaty i jaśniejsze liście. Od miana *L. martagon var. cattaniae* ma kwiaty bordowo-czarne. Toleruje różne rodzaje gleb z wyjątkiem jałowych piasków i podmokłych. Najlepiej się czuje na lekko gliniastych, umiarkowanie wilgotnych, zawierających wapń.

Lilium monadelphum (lilia zrosłopręcikowa) — kaukaska lilia o mocnych, do 1,5 m wysokich łodygach i szeroko otwartych, do 10 cm średnicy, jasnożółtych z brązowymi kropkami kwiatach. Może rosnąć na cięższej, próchniczno-gliniastej, ale nie za mokrej, alkalicznej glebie. Znosi pełne nasłonecznienie. Mrozoodporność wystarczająca.

Lilium pomponium (lilia pomponowa) — alpejska lilia o niezbyt sztywnych, do 1 m wysokich pędach i turbanowych, mocno wywiniętych, mających ok. 5 cm średnicy, mocno czerwonych z drobnymi, ciemnymi punkcikami kwiatach. Wymaga słonecznych miejsc i przepuszczalnej alkalicznej gleby. Zimuje dobrze.

Lilium pyrenaicum (lilia pirenejska) — pochodzi (jak wskazuje nazwa) z Pirenejów. Nie za wysoka (do 1 m), z kilkoma małymi, mającymi ok. 5 cm średnicy, lśniącożółtymi, brązowo nakrapianymi kwiatkami o czerwonych pylnikach. Dobrze będzie rosła na przepuszczalnym, niezakwaszonym, umiarkowanie wilgotnym podłożu i nasłonecznionym stanowisku. Zimuje dobrze, ale okrycie warstwą kompostu na pewno nie zaszkodzi, szczególnie przy braku śniegu i dużych mrozach.

Lilium sargentiae (lilia Sargenta) — pochodzi z Chin i z wyglądu przypomina znaną lilię królewską (*L. regale*). Kwiaty duże, 12--15 cm długie, trąbkowe, wewnątrz kremowobiałe, z wierzchu podbarwione karminem — po kilka na szczycie mającej 1-1,3 m wysokości łodygi. Powinna rosnąć wśród niższych bylin lub krzewinek — w słonecznym lub lekko ocienionym od południa miejscu. Każda przeciętnie żyzna, byle nie za mokra gleba ogrodowa będzie odpowiednia. Na zimę można stanowisko zasypać warstwą kompostu lub kory.

Lilium speciosum (lilia wspaniała) — japońska, piękna lilia o wysokich na ponad 1,5 m pędach i turbanowych, do 15 cm średnicy, jasnoróżowych z ciemniejszym wnętrzem i wiśniowymi plamkami, pachnących kwiatach. Odmiana *L. speciosum var. album* ma kwiaty o białych płatkach i wyrostkach oraz pofalowane fantazyjnie brzegi. W ogrodzie nadaje się na półcieniste, zaciszne miejsca o próchnicznym, bezwapiennym, latem dość wilgotnym podłożu. Wskazane głębsze sadzenie cebul i zimowe okrycie ściołą, korą, kompostem.

Lilium tsingtauense (lilia tsingtaueńska) — występuje w Korei i wschodniej części Chin. Łodygi do 1 m wysokie z kilkukwiatowymi baldachami pomarańczowych, brązowo nakrapianych, mających ok. 6-8 cm średnicy, szeroko otwartych kwiatów. Interesująca, odmienna od innych lilii. Nadaje się na słoneczne miejsca, ale z dość wilgotną i bezwapienną glebą. Nie wymarza w naszym klimacie.

Lilium tsingtauense

Michauxia tchihatchewii

Pochodząca z Turcji, przeważnie krótkowieczna (monokarpiczna) bylina o sztywnych, rozgałęzionych od dołu, na 80-120 cm długich, szczeciniastych pędach. Liście odziomkowe do 20 cm długie, lancetowate, grubo ząbkowane, tworzące rozety. Liście łodygowe dużo mniejsze, siedzące. Kwiaty białe, średnicy 4-6 cm o wąskich, odginających się w tył płatkach. Kwitnie od połowy lata.

Ciekawostka dla amatorów roślin oryginalnych i dziwacznych: ponieważ bylina ta pochodzi z cieplejszego klimatu, musimy zapewnić jej zaciszne i słoneczne stanowisko (najlepiej przed murkiem, ścianą) na dobrze zdrenowanym, alkalicznym podłożu. Mnoży się z nasion wysiewanych wiosną, do doniczek lub od razu na miejsce stałe. Zanim zakwitnie, czyli przez 2-3 lata wymaga okrycia jedliną na czas zimy. Trzeba też chronić ją przed ślimakami.

Michauxia tchihatchewii

Narcissus 'Extravaganza'
Narcissus 'Magellan'

Narcissus hybridus
Narcyz ogrodowy

Licząc z grubsza wyhodowane odmiany, mieszańce, klony narcyzów, można by dojść do 10 tysięcy. Dla łatwiejszej klasyfikacji podzielono je na grupy o charakterystycznych cechach (budowa kwiatu) lub wywodzących się od konkretnego gatunku. Większość z nich nadaje się do uprawy w naszych ogrodach. Rabaty bylinowe i mieszane (np. z trawami), obrzeża krzewów i iglaków, rzadkie zadrzewienia to dogodne miejsca na uprawę narcyzów. Mniej u nas popularne (niż np. w Anglii) łąki, trawniki obsadzone tysiącami cebul są podczas kwitnienia niezwykle efektownym zjawiskiem. Ten sposób uprawy wiąże się z odpowiednim doborem nie tylko narcyzów, ale i gatunków traw. Nie mogą być ani szybko rosnące, ani wcześnie rozpoczynające wegetację. Koszenie bowiem trzeba by wówczas opóźnić do momentu zżółknięcia liści narcyzów. Pośrednim rozwiązaniem może być sadzenie cebul w większych, rozrzuconych po łące kępach. Takie wysepki można omijać podczas koszenia i pozwolić na dojrzenie cebul. W normalnych, przydomowych ogrodach i na działkach przeważnie sadzimy narcyzy w kępach po kilka — kilkanaście cebul. Najnowsze, wielkokwiatowe odmiany są nieco wrażliwsze na wszelkie niedogodności środowiskowe i powinno się je wykopywać każdego roku. Starsze, wypróbowane odmiany mogą rosnąć kilka lat na tym samym miejscu. Z czasem jednak klony cebul zagęszczają się, drobnieją i coraz słabiej kwitną. Wykopuje się cebule w momencie zasychania liści, gdy jeszcze widać, gdzie były sadzone. Podsuszanie powinno przebiegać powoli, w przewiewnym, ale nie nasłonecznionym miejscu. Latem można przejrzeć cebule, oczyścić z suchych liści i korzeni. Jest to też dobry moment na rozdzielanie cebul. Nie powinno się jednak robić tego na siłę. Zrośnięte podstawami cebule korzystniej jest rozdzielić po następnym sezonie, gdyż uszkodzona piętka może być drogą dla czynników chorobotwórczych. Nie powinno się sadzić cebul na miejsce, w którym rosły poprzednio, ani po innych roślinach cebulowych. Głębokość sadzenia zależy od wielkości cebul, ale nawet mniejsze lepiej jest posadzić głębiej (ok. 10 cm) niż za płytko.

Narcissus 'Orangery'
Narcissus 'Princess Royal'

Przedstawicielami nowszej generacji są:

'Extravaganza' — pełnokwiatowy, pomarańczowo-biały, kwiaty do 12 cm średnicy.

'Magellan' — pełny, żółty z czerwono-żółtym środkiem, kwiaty 12 cm średnicy

'Orangery' — z przekształconym przykoronkiem, płatki kremowe, korona pomarańczowa, szeroko rozpostarta.

'Princess Royal' — wielkoprzykoronkowy, płatki białe, korona łososiowa, krótka, płasko rozpostarta, pofalowana.

'Raspberry Creme' — z przekształconym przykoronkiem, płatki białe, korona pasteloworóżowa, silnie pofalowana. Całość 10 cm średnicy.

Narcissus 'Raspberry Creme'

Paeonia lactiflora
Piwonia chińska

Pochodzący z wschodnich krańców Rosji i Chin czysty gatunek trudno znaleźć w przydomowych ogródkach czy amatorskich kolekcjach. Od niego jednak (nie zawsze bezpośrednio) wyprowadzono setki odmian o bardzo zróżnicowanej budowie i barwach kwiatów. Pogrupowano je w zależności od budowy kwiatu, ale nadal powstające nowe odmiany trudno czasami zakwalifikować do którejkolwiek grupy. Piwonia chińska ma krzaczasty pokrój, proste, na 40-100 cm wysokie, wyrastające z grubych korzeni pędy i podwójnie trójdzielne liście. Kwitnie w maju-czerwcu.

W ogrodzie sadzi się piwonie chińskie na słonecznych, otwartych stanowiskach, z dala od większych krzewów i drzew. Wymagają przeciętnie żyznej, próchniczno-gliniastej, bezwapiennej gleby. Przed sadzeniem należy głęboko spulchnić głębsze warstwy podłoża, by mięsiste korzenie mogły się swobodnie rozrastać. Wskazane również wzbogacenie wykopanego dołka kompostem lub starym obornikiem. Rośliny sadzi się na taką głębokość, by oczka, z których w przyszłym sezonie wyrosną pędy, były przykryte tylko warstwą gleby grubości 3-5 cm. Sadzenie od połowy sierpnia do końca września. W tym czasie można też większe kępy mnożyć przez podział. Każda z odciętych części powinna mieć wyraźne 1-2 oczka i kilka zdrowych korzeni.

Piwonia chińska jest byliną trwałą i żywotną. Na odpowiednich stanowiskach może rosnąć kilkanaście lat bez potrzeby przesadzania. Na mrozy odporna, jedynie zbyt późno sadzoną można zasypać korą, jedliną. Znosi okresowe (letnie) susze, ale jest wrażliwa na zalewanie korzeni podczas zimy.

Do nie najbrzydszych z pewnością można zaliczyć:

'Chiffon Cloud' — kwiaty podwójne z falistymi, delikatnie różowymi płatkami i żółtymi pręcikami.

'Cora Stubbs' — kwiaty anemonowe z okółkiem różowych płatków i kremowym pomponem złożonym z przekształconych w listki pręcików.

Paeonia 'Chiffon Cloud'

Paeonia 'Cora Stubs'
Paeonia 'Doreen'

Paeonia 'Coral Supreme'
Paeonia 'Durer'

'Coral Supreme' — kwiaty pełne o lekko falistych, różowokoralowych płatkach.

'Doreen' — kwiaty anemonowe z okółkiem różowokarminowych płatków i kremowożółtym, pełnym środkiem.

'Durer' — kwiaty podwójne, białe z żółtymi pręcikami.

'Pink Hawaian Coral' — kwiaty podwójne o ciepłej, różowokoralowej barwie.

'Red Charm' — kwiaty anemonowe, karminowe z dużym, pomponowym środkiem.

'Senorita' — kwiaty anemonowe o różowych płatkach i środkowych listkach w kremowo-różowe desenie.

Paeonia 'Red Charm'   *Paeonia* 'Senorita'

Phlox maculata
Floks plamisty

Gatunek pochodzi ze wschodniego wybrzeża Ameryki Północnej. Bylina o wzniesionych, do 60-80 cm wysokich, cienkich, ale dość sztywnych pędach. Liście dolne lancetowate lub równo wąskie, górne — jajowate, zaostrzone, 5-10 cm długie, całobrzegie, gładkie. W uprawie kilka odmian ogrodowych o odmiennej barwie kwiatów. Najłatwiej dostępna jest przeważnie 'Natascha' o wąskich, stożkowatych kwiatostanach cieszących oczy całe lato. Kwiatki, tackowate, mające ok. 2 cm średnicy, pachnące, dwubarwne. Szeroki pasek przez środek płatka jest różowy, a brzegi czysto białe.

Barwna, obficie i długo kwitnąca odmiana, mile widziana na każdej rabacie bylinowej. Dobrze rośnie w pełnym słońcu lub z południowym ocienieniem. Wymaga gleby dość żyznej, próchnicznej i co najmniej przeciętnie wilgotnej. Mrozoodporność wystarczająca. Mnożenie najłatwiejsze przez podział wiosną. Dość łatwo też ukorzeniają się pędy odziomkowe.

Phlox maculata 'Natascha'

Phlox paniculata 'Wenn schon denn schon'

Phlox paniculata
Floks wiechowaty

Cały kilkusetodmianowy rodzaj wywodzi się od amerykańskiego gatunku występującego na wschodzie i w centrum kontynentu. Bylina o sztywnych, dość grubych, do 120 cm wysokich, górą rozgałęzionych pędach. Liście szerokolancetowate, do 12 cm długie, gładkie. Szerokie, wiechowate baldachogrona złożone z licznych, tackowatych, mających 2-3 cm średnicy, pachnących kwiatków rozwijają się od połowy lata do połowy jesieni, czasami nawet do przymrozków. Z ciekawszych, nietypowych (z barwy i nazwy) polecić warto odmianę 'Wenn schon denn schon', co można przełożyć jako „jak piękny, to piękny". Rzucające się z daleka w oczy kwiaty są intensywnej, karminowej barwy z kontrastowym, białym oczkiem.

Floksy wiechowate są podstawowymi bylinami do obsadzania rabat. Duży wybór odmian, obfitość i długość kwitnienia są cennymi zaletami tej grupy roślin. Wszystkie wymagają stanowisk słonecznych przez większą część dnia. Korzystna jest osłona przed palącym południowym słońcem. Niekorzystne są miejsca pod drzewami, których korzenie są zbyt dużą konkurencją, a woda skapująca z gałęzi niszczy kwiaty. Gleba powinna być żyzna, próchniczna, latem niewysychająca. Uprawiając większą ilość floksów, warto sadzić je w dużych odstępach. Ograniczy to częściowo rozprzestrzenianie się mączniaka. Zimuje dobrze, ale starsze egzemplarze warto dzielić i przesadzać na nowe miejsce co kilka lat. Mnożenie przez podział wiosną lub letnie ukorzenianie wierzchołków niekwitnących pędów.

Rehmannia elata
Rehmania uskrzydlona

Pochodzi z widnych, podgórskich lasów w Chinach. Jest rośliną o rozetach naziemnych, płytko klapowanych i ząbkowanych, owłosionych liści, z których wyrastają cienkie, czerwonawe, osiągające w dobrych warunkach ponad 1 m pędy. Kwiaty zwisające na końcach rozgałęzień są ok. 8 cm długie, dwuwargowe, różowe z wyraźnymi plamkami w gardzieli. Kwitnie przez całe lato i początek ciepłej jesieni.

Nieco kłopotliwa, ale ze względu na urodę kwiatów i długie kwitnienie godna miejsca w ogrodzie. Powinna dobrze czuć się na słonecznych, osłoniętych np. żywopłotem rabatach lub niskich skarpach, gdzie podłoże będzie próchniczne i umiarkowanie wilgotne. Mrozoodporność niewystarczająca. Najkorzystniejsza uprawa jak roślin dwuletnich z zimowaniem siewek w szklarni. Można ją uprawiać jako roślinę kublową, również z przechowywaniem przez zimę w bezmroźnych pomieszczeniach. W takich przypadkach można mnożyć przez oddzielanie bocznych odrostów wczesną wiosną.

Rehmannia elata

Tradescantia 'Caerulea Plena'
Tradescantia 'Sweet Kate'

Tradescantia x andersoniana
Trzykrotka Andersa

Nazwa wspólna dla grupy mieszańców uzyskanych z północnoamerykańskich gatunków. Odmiany są bylinami o wzniesionych, do 40-80 cm wysokich, rozgałęzionych, mięsistych pędach. Liście długie do 30 cm, wąskolancetowate. Kwiaty otwierające się przy słonecznej pogodzie są trzypłatkowe, o 3-5 cm średnicy w różnych tonacjach barwy niebieskiej, różowej lub białej.

Amatorom rzadszych okazów warto polecić odmiany:
'Caerulea Plena' — o pełnych, czysto niebieskich kwiatach.
'Sweet Kate' — o kwiatach różowoniebieskich i żółtawym ulistnieniu.

Obie są trwałymi, kwitnącymi cały sezon bylinami, przydatnymi na rabaty, obrzeża drzew lub wśród niskich krzewów. Powinny rosnąć w słońcu na próchnicznej, dość wilgotnej, ale niezalewanej zimą glebie. W cieniu słabiej kwitną i kolory są mniej intensywne. Mrozoodporne.

Mnożenie odmian przez podział (wczesną wiosną) lub ukorzenianie wierzchołkowych części pędów uciętych pod kolankiem (nasadą liścia) — latem.

Tulipa 'Barbados'
Tulipa 'China Town'

Tulipa hybrida (T. gesneriana)
Tulipan ogrodowy

Około 100 gatunków tulipanów występuje na naturalnych stanowiskach — w większości w Azji Środkowej i na Bliskim Wschodzie. To tzw. tulipany botaniczne i opisane są w części poświęconej ogrodom skalnym. Mieszańce uzyskane przez wielokrotne krzyżowanie różnych gatunków, ras i odmian, przy znaczącym udziale *T. gesneriana*, uprawia się przeważnie na rabatach bylinowych, więc znalazły miejsce w tym dziale. Hodowcy i ogrodnicy podzielili je na grupy, kierując się budową i wyglądem kwiatów.

Wszystkie kwitną wiosną i są podstawowym składnikiem wiosennych kompozycji. Wymagają słonecznych stanowisk, najlepiej na lekkim stoku lub podwyższonej rabacie, gdzie nie ma zagrożenia podtapiania roślin jesienią czy zimą. Gleba powinna być w miarę żyzna, piaszczysto-próchniczno-gliniasta, alkaliczna, głęboko spulchniona, latem obsychająca. Pod koniec wiosny, gdy zasychają liście i roślina przechodzi okres spoczynku, najkorzystniej jest wykopać cebule i pozwolić im na trzymiesięczny spoczynek w suchym, zacienionym miejscu (altana, garaż). Jeśli pozostaną do następnego sezonu na tym samym miejscu, należy zadbać o osuszenie podłoża. Często suche, gorące lato samo rozwiązuje ten problem. Można też obsiać lub obsadzić tulipanowe kwatery niskimi, jednorocznymi roślinami, które nie wymagają częstego podlewania, a pobierając wodę z gleby, będą ją osuszały. Poza tym przykryją puste miejsca i rabata nadal może wyglądać kolorowo. Propagowana czasami pojemnikowa uprawa tulipanów ma więcej wad niż zalet. Małe, płytkie, ciasne naczynia nie nadają się do tego celu. Cebule w zależności od pogody będą narażone albo na przesychanie, albo na nadmierną wilgotność, a zimą, zalane wodą i skute lodem, mogą wymarznąć. Utrudnianie swobodnego rozwoju korzeni odbija się na przyroście masy cebul i w efekcie końcowym na kwitnieniu. Aby rośliny nie odczuły niewoli, muszą to być duże i głębokie pojemniki, najlepiej kosze o bardzo ażurowych ściankach. Potrzebna do nich będzie odpowiednia ilości ziemi, którą powinno się co roku wymieniać. Cebule sadzi się jesienią, lepiej późną niż za wcześnie.

Do setek (może tysięcy) odmian dochodzą każdego roku nowe, coraz wymyślniejsze formy i kolory. Nawet jeśli nie mamy dużego ogrodu, to znajdzie się miejsce dla kilku wybranych, tych najładniejszych, może właśnie takich jak te:

'Abu Hassan' (Triumph) — pojedynczy, osiągający 40-50 cm, kwiat czerwonobordowy z szerokimi, żółtymi brzegami. Elegancki kształt, zdrowo rośnie.

'Barbados' (Crispa) — 30 cm, kwiat intensywnie różowoczerwony, z długimi wyrostkami na brzegach i wierzchu płatków.

'China Town' (Darwin) — 30 cm, kwiat różowy z zielonymi smugami na wierzchu płatków.

'Claudia' (Liliokształtne) — 30 cm, kwiat malinowy z szerokimi, białymi brzegami.

'Cummings' (Crispa) — 45 cm, kwiat różowokarminowy z białymi, mocno postrzępionymi brzegami płatków.

'Dallas' (Crispa) — 30 cm, kwiat różowy z jaśniejszymi frędzelkami i białym wnętrzem.

'Esperanto' (Darwin) — 30 cm, kwiat różowy z zielonymi smugami na wierzchu. Liście biało obrzeżone.

'Fringed Beauty' (Crispa) — 25 cm, kwiat pełny, czerwony z żółtymi, postrzępionymi brzegami.

'Garant' (Darwin) — 30 cm, kwiat żółty. Liście z żółtym brzegiem.

'Green Eyes' (Darwin) — 50 cm, kwiat zielono-żółty po obu stronach płatków.

'Green Valley' (Darwin) — 45 cm, kwiat czerwony z zielono-fioletowym wierzchem.

'Green Wave' (Papuzi) — 50 cm, kwiat różowy z zielonym wierzchem.

'Palmares' (Crispa) — 40 cm, kwiat czerwony z żółtymi, postrzępionymi brzegami.

'Picture' (egzotyczne) — 60 cm, kwiat różowy o grubych, pofalowanych płatkach.

'Queen of Night' (pojedyncze) — 60 cm, kwiat fioletowy, w pąku czarny.

'Shirley' (pojedyncze) — 50 cm, kwiat kremowobiały z lilaróżowymi brzegami.

Tulipa 'Cummings'
Tulipa 'Fringed Beauty'

Tulipa 'Green Eyes'
Tulipa 'Green Wave'

Tulipa 'Palmares'
Tulipa 'Picture'

Vernonia crinita
Wernonia włosowata

Pochodzi ze środkowych stanów USA, gdzie można ją spotkać na wilgotnych łąkach i obrzeżach lasów. Jest mocną byliną o prostych, czerwonawych, przekraczających często 2 m wysokości pędach. Liście siedzące, lancetowate, piłkowane. Pojawiające się latem okazałe, wiechowate kwiatostany złożone są z kilkudziesięciu puszystych, różowokarminowych, mających ok. 2 cm średnicy koszyczków.

Bylina na duże rabaty lub jako soliter na tle ściany czy parkanu. Intensywna barwa kwiatów z daleka przyciąga wzrok, a nieskomplikowana uprawa podwyższa jej wartość. Odpowiednią bujność i obfitość kwiatów osiąga na dość żyznej i wilgotnej glebie — w słońcu lub lekkim ocienieniu. Zimuje dobrze, lecz należy unikać jesiennego dzielenia i przesadzania. Mnożenie łatwe, przez podział karpy korzeniowej wczesną wiosną. Można również wysiewać nasiona — też wiosną.

Vernonia crinita

Ogród skalny w górach — ogród p. Grulicha z Sedlonova, Czechy

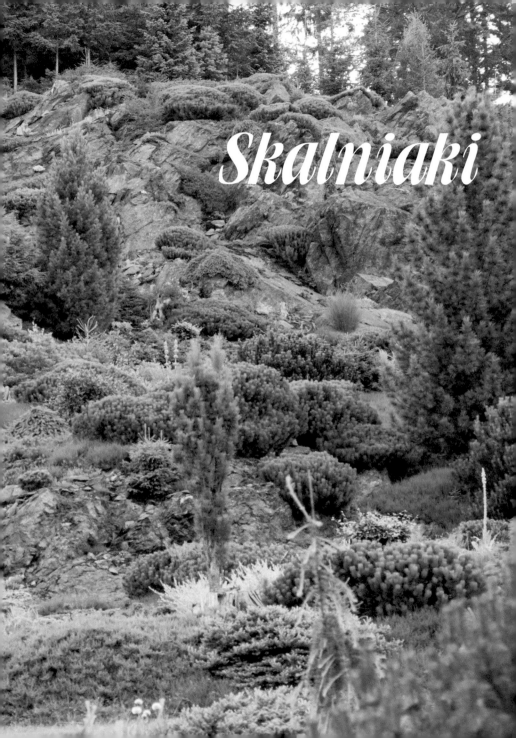

Skalniaki

Skalniak z wapienia — ogród p. Adama Śleziony z Nowego Bierunia

*T*AK JAK MINIATUROWE, SKARLONE DRZEWA, (tzw. *bonsai*) budzą podziw i zainteresowanie, tak i fragment górskiego (choć w dużym pomniejszeniu) krajobrazu jest najefektowniejszym elementem ogrodu z roślinnością ozdobną. Początkujący swoją przygodę z roślinnością pochodzenia górskiego zaczynają przeważnie od tradycyjnego torcika z polnych otoczaków. Nie komentując walorów estetycznych takiego skalniaka, warto podkreślić, że jest to dobre miejsce do uprawy wielu gatunków. Jeśli podłoże jest odpowiednio przygotowane, mogą tu w dobrej kondycji rosnąć lubiane i powszechnie uprawiane: żagwiny, smagliczki, goździki, rojniki, rozchodniki i wiele innych, uchodzących za łatwe w uprawie.

Bardziej zaawansowane skalniaki nie tylko z wyglądu przypominają góry, ale stanowią namiastkę naturalnego środowiska dla roślin. Dysponując odpowiednim materiałem, można pobudować odpowiednie półki skalne, szczeliny, stoki. Komponując różne rodzaje gleb, kruszywa, dodatków, można również stworzyć zbliżone do naturalnego podłoże dla konkretnych roślin. Zapewniając do tego właściwą wystawę słoneczną, dajemy roślinie odpowiednie warunki bytowe, a sobie szansę na prawie pewny sukces. Są jednak rośliny, którym do pełni szczęścia niezbędny jest także klimat górski, a przede wszystkim długi, zimowy sen pod ciepłą, śniegową pierzynką.

Budując skalniak, warto przestrzegać zasady, że im będzie większy i bardziej pod względem konfiguracji, wystawy i wilgotności podłoża zróżnicowany, tym więcej roślin znajdzie tam dogodne stanowisko.

Achillea clavennae
Krwawnik Clavenny

Alpejski, porastający szczeliny wapiennych skał, piargi i trawiaste stoki. Kępkowa, na 15-20 cm wysoka, zadarniająca bylina o częściowo zimotrwałych liściach. Liście łopatkowate, do 5-7 cm długości, pierzasto klapowane, srebrzyście omszone. Kwiaty mają białe koszyczki, 1-2 cm średnicy, w baldachogronach — na przełomie lata i jesieni.

Dekoracyjny z liści i kwiatów, przydatny na suche, słoneczne półki skalne, murki, tarasy. Podłoże musi być dobrze zdrenowane gruzem wapiennym. Mrozoodporność wystarczająca, lecz co kilka lat trzeba dzielić (odmładzać) kępy. Z nasion można otrzymać niejednolite potomstwo, szczególnie jeśli są w ogrodzie przedstawiciele niskich, pokrewnych gatunków, z którymi dość łatwo się krzyżuje.

Achillea clavennae

Androsace lanuginosa
Naradka

Himalajska naradka o wiotkich, leżących, rozgałęzionych, zaczerwienionych, do 30 cm długich pędach. Liście lancetowate, ok. 2,5 cm długie, siedzące, delikatnie omszone. Pod koniec lata na końcach pędów pojawiają się baldaszki jasnoróżowych z karminowym oczkiem i mających ok. 1 cm średnicy kwiatki. Kwitnienie przy sprzyjającej pogodzie przeciąga się do przymrozków.

Jedna z większych naradek, szczególnie przydatna na wyższe stopnie skalniaka i murki, gdzie tworzy malownicze nawisy. Stanowisko powinno być osłonięte przed południową spiekotą, najlepsze ze wschodnią lub północną wystawą. Podłoże może być prawie normalne — próchniczne z domieszką grubszego żwiru, odczyn obojętny. Wrażliwa na nadmiar wilgoci podczas zimy. Zadaszenie i kilka gałązek jedliny raczej konieczne. Rozmnażanie z nasion — dla fachowców. Sadzonki z nickwitnących pędów można ukorzeniać latem.

Androsace lanuginosa

Anemone obtusiloba

Zawilec o himalajskim rodowodzie z powodzeniem udomowiony w Europie Zachodniej i wart upowszechnienia w Polsce. Jest niewielką, kępkową byliną o soczyście zielonych, głęboko klapowanych liściach i okrągłych, mających 2-3 cm średnicy kwiatkach osadzonych na końcach pędów. Kwiatki mogą być białe, żółte lub niebieskie. Na stanowiskach półcienistych pędy kwiatowe mogą mieć długość do 25 cm, a na nasłonecznionych zaledwie 5-10 cm. Kwitnienie rozpoczyna się wiosną i z krótką przerwą może trwać do końca sierpnia.

Atrakcyjny i uroczy, przydatny w ogrodzie skalnym na miejsca słoneczne lub ocienione od południa. Podłoże powinno być próchniczne z dodatkiem kompostu liściowego, żwiru i niewysychające latem. Zimuje dobrze, szczególnie pod warstwą śniegu lub jedliny. Mnożenie z nasion, najlepiej od razu po zbiorze. Część skiełkuje po 3-4 tygodniach, pozostałe wiosną.

Anemone obtusiloba

Artemisia stelleriana
Bylica Stellera

Pochodzi z północno-wschodnich terenów Azji (Kamczatka, Sachalin). Bylina o pokładających się, do 50 cm długich, zdrewniałych u podstawy pędach. Pierzastodzielne, do 5-10 cm długie liście pokryte są srebrnym kutnerem. Kuliste, żółtawe, koszyczki w luźnych wiechach ukazują się pod koniec lata.

Ozdobna przede wszystkim z liści, przydatna na większe skalniaki i kamieniste skarpy. Lubi jak najwięcej słońca i ubogą, kamienistą, suchą glebę. Mrozoodporność wystarczająca, bardziej wrażliwa na nadmiar wilgoci w czasie zimy. Rozmnażanie przez podział (wiosną) lub letnie ukorzenianie krótkopędów.

Artemisia stelleriana

Asplenium ruta — muraria
Zanokcica murowa

Europejska, drobna, zimozielona paproć, dość pospolita zarówno na nizinach, jak i w górach. W górach porasta wąskie szczeliny wapiennych i dolomitowych skał, a na niżu można ją spotkać na starych, ceglanych i kamiennych murach oraz ruinach. Tworzy zwarte, na 5-10 cm wysokie kępki złożone z ciemnozielonych, dwu-, trzykrotnie pierzastych, pociętych na rombowe odcinki liści. Zarodniki tworzą się przez cały sezon wraz z rozwojem nowych liści.

Najmniejsza z naszych paproci, trwała, odporna na mróz i suszę. Potrafi przetrwać dłuższe, ekstremalne warunki, np. letnią suszę w szczelinie między cegłami starego muru, i odrodzić się wraz z pierwszymi opadami deszczu. Na skalniaku powinna rosnąć w jak najmniejszych szczelinach wypełnionych odrobiną próchnicy zmieszanej z gliną — koniecznie od strony południowej. Zimuje bez problemów. Mnożenie proste przez podział, wiosną, przed rozwojem nowych liści. Na odpowiednich stanowiskach może sama się obsiewać.

Asplenium ruta — muraria

Asplenium trichomanes
Asplenium trichomanes 'Ramosum Cristatum'

Asplenium trichomanes
Zanokcica skalna

Również europejska (i nasza), naskalna paproć spotykana w górach
i na starych, dawno nieodnawianych murach. Rozrasta się w syme-
tryczne, z wiekiem dość duże kępki. Zimozielone, do 10-15 cm długie
liście są w zarysie lancetowate, pierzaste z jajowatymi listkami o karbowanych i podwiniętych brzegach. Odmiana 'Ramosum Cristatum'
ma rozwidlone końce liści i większe, wachlarzykowate listki.
   Obie nadają się na wyższe półki skalne, murki, do kamiennych koryt. Dobrze czują się w słońcu i z bocznym ocienieniem. Podłoże powinno być alkaliczne, przepuszczalne, żwirowo-gliniaste, umiarkowanie wilgotne. Nie wymarzają. Większe kępki można dzielić wiosną.
Mnożenie z zarodników raczej dla fachowców.

Aster coloradoensis

Przedstawiciel flory porastającej wyżynne tereny stanu Kolorado w USA. Niewielka, delikatna bylina o leżących, do 10 cm długich łodygach i lancetowatych, 4-6 cm długich, ząbkowanych, posrebrzanych liściach. Latem na końcach rozgałęzień pędu pojawiają się różowe, do 5 cm średnicy koszyczki. Kwitnie dość długo, a starsze okazy nawet obficie.

Cenny nabytek na bardziej zaawansowane skalniaki. Wymaga stanowiska w pełnym, całodziennym nasłonecznieniu i dobrze zdrenowanego żwirem i gruzem, suchego podłoża. W takich warunkach zimuje dobrze. W razie bardzo mroźnej albo (jeszcze gorzej) wyjątkowo mokrej zimy wskazane okrycie jedliną i daszkiem z szyby. Mnożenie z nasion wiosną. Zawiązuje je, gdy lato jest słoneczne i suche.

Aster coloradoensis

Astragalus angustifolius
Traganek wąskolistny

Pochodząca z Bałkanów i Azji Mniejszej krzewinka rozrastająca się w szerokie do 1 m, gęste poduchy. Pędy silnie rozkrzewione, nieprzyrastające do podłoża. Liście pierzaste, do 5 cm długie, srebrzyście omszone, zakończone cierniem. Kwiaty motylkowate, do 3 cm długie, kremowobiałe, osadzone po kilka na końcach łodyg. Kwitnie w maju-czerwcu.

Jedna z ładniejszych, poduszkowych roślin. Nadaje się na większe skalniaki, tarasy, murki. Wymaga pełnego słońca i lekkiej, dobrze zdrenowanej, kamienistej, suchej gleby. W takich warunkach zimuje dobrze bez zabezpieczenia. Rozmnażanie przez sadzonkowanie bocznych, niekwitnących pędów — w sierpniu, najlepiej w doniczkach, skrzynkach wstawionych do szklarni, inspektu. Podłoże do ukorzeniania musi być bardzo lekkie, z dużą zawartością grubszego piasku.

Astragalus angustifolius

Berkheya purpurea
Berkheja purpurowa

Przybysz z Czarnego Lądu, dokładniej — z południowych krańców Afryki, RPA, gdzie jest przedstawicielem flory porastającej sawanny i skaliste wyżyny. Z wyglądu ostowata, posiada rozety kolczastych, pomarszczonych, owłosionych od spodu liści i równie kolczaste, oskrzydlone łodygi zwieńczone kilkukwiatowym (3-10) gronem dużych, o średnicy 6-8 cm, jasnoróżowych, podbarwionych karminem koszyczków. Kwitnie dość długo od połowy lata. Pod koniec kwitnienia wydaje boczne rozety liści, które w razie długiej, ciepłej jesieni mogą zdążyć z kwitnieniem.

Nieco za wysoka (40-60 cm) na typowy niewielki skalniak, ale dla urody kwiatów warta zachodu i specjalnego potraktowania. Nie jest w naszym klimacie trwałą byliną. Dobrym miejscem uprawy będą przedmurza lub ciepłe, zaciszne zakamarki między większymi skałkami na słonecznej skarpie lub dużym skalniaku. Podłoże musi być pulchne, dobrze zdrenowane, lecz dość żyzne i niewysychające w sezonie. Najlepiej jest uprawiać ją jak roślinę jednoroczną. Nasiona można wysiewać jesienią do pojemników przetrzymywanych w chłodnej szklarni, inspekcie do czasu wiosennych wschodów. Można również pokusić się o uprawę w większych donicach przenoszonych na przezimowanie pod szklany dach.

Calluna vulgaris
Wrzos zwyczajny

Krajowy, dziko rosnący na zrębach, poboczach dróg leśnych, górskich łąkach i obrzeżach kosodrzewiny. Powszechnie znany, ceniony za jesienne, pachnące, miododajne kwiatki. Gatunek rzadko uprawiany w ogrodach, wyparty przez liczne ogrodowe odmiany o odmiennym pokroju, barwie liści, budowie i kolorze kwiatów. Ponieważ wszystkie są urocze, proponuję zapoznanie ze stosunkowo skromną, ale z pewnością pożądaną dla kolekcjonerów formą. Znaleziona została w latach 50., po czeskiej stronie Sudetów w okolicy miejscowości Sedlonov. Z pewnością jest to spontaniczna, środowiskowa forma, wywołana nieznanymi czynnikami. W większej populacji normalnego wrzosu wyróżniała się bardzo niskim wzrostem, zwartym pokrojem i miniaturowymi listkami. Przeniesiona do ogrodu, przez kilkadziesiąt następnych lat dawała niewielkie przyrosty, pozostając przyziemną, gęstą krzewinką. Kwitnie niestety bardzo skąpo i kwiatki są proporcjonalnie do wzrostu również mikroskopijne.

Wrzos ten, nazwany od miejscowości Sedlonov, ma podobne zastosowanie i wymagania jak wszystkie inne. Z racji powolnego wzrostu może rosnąć na węższych półkach skalnych, murkach, korytach. Stanowisko powinno być słoneczne, a gleba próchniczna, kwaśna, niezbyt wilgotna. Zimuje bez problemów. Mnożenie przez sadzonkowanie łodyżek na początku sierpnia lub odcinanie ukorzenionych pędów po obwodzie kępy.

Calluna vulgaris 'Sedlonov'

Carlina acanthifolia
Dziewięćsił akantolistny

Pochodzi z wyżynnych i górskich, dość suchych i jałowych terenów na południowym wschodzie Europy. Rozety złożone są ze skórzastych, sztywnych, kolczastych, gładkich, ciemnozielonych liści. Koszyczki większe niż u *C. acaulis*, bardziej żółte z fioletowym podbarwieniem wierzchniej strony listków okrywy. Kwitnie od czerwca. Kwiaty chętnie odwiedzane przez pszczoły i trzmiele.

Piękna, szlachetna roślina, niezaprzeczalna ozdoba skalnego ogrodu. Wymagania niewielkie: jak najwięcej słońca i uboga, alkaliczna, dobrze zdrenowana, i sucha gleba. Wytrzymuje mrozy do ok. −15°C. Mnożenie z nasion wysiewanych do doniczek na przedwiośniu. Przez zimę warto przechowywać nasiona w lodówce, na najniższej półce, w temperaturze ok. +5°C.

Carlina acanthifolia

Carlina acaulis
Dziewięćsił bezłodygowy

Gatunek rozpowszechniony w Europie Środkowej, przede wszystkim na terenach podgórskich. W Polsce prawnie chroniony. Bylina o palowym, mocnym korzeniu i płaskiej, często mającej ponad 30 cm średnicy rozecie. Liście ostowate, pierzastosieczne, kolczaste, szarozielone, gładkie, ale z pajęczynowatą osnówką. Latem ze środka rozety, na zredukowanej łodydze wyrasta pojedynczy, mający 7-10 cm średnicy koszyczek o słomiastych, białawych płatkach (listkach okrywy). Koszyczki zamykają się na noc i w pochmurne dni.

Symbol górskiej roślinności, obowiązkowy na każdym skalniaku, kamienistej rabacie, skarpie, murku. Najlepiej się czuje w pełnym słońcu na przepuszczalnej, żwirowo-gliniastej, niezbyt wilgotnej glebie. Mrozoodporność całkowita. Starsze okazy wydają boczne rozety z mniejszymi koszyczkami, ale po kilku latach słabną i zamierają. Mnożyć należy z nasion wysiewanych jesienią do wysokich doniczek. Z powodu długich korzeni wskazane jest przesadzanie z bryłką.

Carlina acaulis

Carlina onopordifolia
Dziewięćsił popłocholistny

Naturalne stanowiska na południu Europy. W Polsce nieliczne na południowym wschodzie kraju (Zamojszczyzna). Okazałe, mające 30-50 cm średnicy rozety z klapowanych, kolczasto zakończonych, szarozielonych, od spodu pokrytych kutnerem i z czerwonymi ogonkami liści. Koszyczek żółty z czerwonawym wierzchem listków okrywy może osiągać 15-20 cm średnicy. Kwitnie od połowy lata. Po przekwitnieniu i zawiązaniu nasion roślina zamiera.

Najokazalszy z dziewięćsiłów, bardzo dekoracyjny i choć monokarpiczny, wart wyeksponowanego miejsca na skalniaku. Zanim zakwitnie i zginie, może minąć kilka lat, przez które będzie zdobił ogród. Ładnie prezentuje się wśród żółtawych kamieni piaskowca. Potrzebuje dużo słońca i ciepła. Najlepszym miejscem uprawy będzie kamienista skarpa o południowej wystawie. Podłoże może być dość ubogie, suche i niezakwaszone. Na mróz wytrzymały, nie znosi wody stagnującej u stóp podczas zimy. Rozmnażanie wyłącznie z nasion.

Carlina onopordifolia

Ceratostigma plumbaginoides
Zawciągowiec zwyczajny

Pochodząca z zachodniej części Chin, kępiasta na 30-40 cm wysoka bylina o drewniejących u podstawy, czerwonawych pędach i jajowatych, soczyście zielonych liściach, które jesienią zabarwiają się na czerwono. Lazurowoniebieskie, mające ok. 1 cm średnicy kwiatki zebrane w luźne wierzchotki pojawiają się od początku lata.

Wdzięczna, mile (ze względu na kolor kwiatów) widziana w każdym ogrodzie, nie jest niestety w naszym klimacie rośliną trwałą ani długowieczną. Zapewnić jej musimy zaciszne, ciepłe stanowisko, najlepiej pod murkiem lub między większymi głazami skalniaka. Gleba powinna być przepuszczalna, niezbyt żyzna i umiarkowanie wilgotna. Mrozoodporność zawodna, wskazane zabezpieczenie jedliną i osłonięcie daszkiem z szyby. Rozmnażanie przeważnie przez oddzielanie ukorzenionych, skrajnych pędów lub letnie sadzonkowanie.

Ceratostigma plumbaginoides

Clematis integrifolia
Powojnik całolistny

Południowoeuropejski gatunek o leżących, mających do 30-60 cm długości pędach i jajowatych, całobrzegich liściach. W uprawie kilkanaście odmian o zróżnicowanym pokroju, budowie i barwie kwiatów. Jedną z cenniejszych jest 'Arabella' o otwartych, fioletowych, blednących w miarę przekwitania kwiatkach. Kwitnie bardzo obficie przez całe lato.

Niepodwiązywane pędy rozściełają się swobodnie, tworząc szerokie połacie. Mogą być ciekawym akcentem na szerszych półkach skalnych lub tworzyć malownicze nawisy na murkach, tarasach. Dobrze rośnie na słonecznych stanowiskach o dość żyznej, żwirowo-gliniastej glebie. Zimuje bez problemów. Mnożenie ze świeżo zebranych nasion.

Clematis integrifolia 'Arabella'

Convolvulus cantabrica
Powój kantabryjski

Występuje na górzystych terenach Europy Południowej. Kępiasta bylina o odziomkowych, do 7-10 cm długich, lancetowatych, tępo zakończonych, pofalowanych, szorstko orzęsionych liściach. Łodygi cienkie, leżące, do 20-40 cm długie, rozgałęzione, z wąskolancetowatymi, niewielkimi listkami. Latem na końcach rozgałęzień pojawiają się szerokolejkowate, mające 2-4 cm średnicy, różowe z ciemniejszymi paskami kwiaty.

Powój oryginalny, w czasie kwitnienia przyciągający wzrok. Starsze, rozrośnięte okazy kwitną obficie i mogą być główną ozdobą skalniaka. Wymaga nasłonecznionego, zacisznego miejsca na wygrzanych półkach, stokach, murkach. Gleba powinna być dobrze zdrenowana gruzem i odłamkami skalnymi, niekwaśna i raczej sucha. Mrozoodporność zawodna. Cierpi od silniejszych mrozów, wysuszających, zimowych wiatrów i opadów mokrego śniegu. Konieczne okopcowanie podstawy pędów, osłona z jedliny i zadaszenie. Mnożenie przez sadzonkowanie niekwitnących łodyg.

Convolvulus cantabrica

Cotula hispida
Kotula włochata

Przybysz z Czarnego Lądu, dokładniej — z południowych, górzystych krańców Afryki. Niewielka, do 10-20 cm wysoka, filigranowa bylina o leżących, zakorzeniających się pędach i pierzastych, pociętych na bardzo wąskie, nitkowate łatki liściach. Cała roślina jest miękko, srebrzyście owłosiona. Przez całe lato i wczesną jesień, często aż do przymrozków, pojawiają się małe, mające ok. 1 cm średnicy, guzikowate, żółte koszyczki osadzone na bezlistnych, cienkich szypułkach.

Niezwykle dekoracyjna, długo kwitnąca, ozdobna z liści — same zalety. Poza tym niezbyt wygórowane wymagania: słoneczne stanowisko na przeciętnie żyznej i umiarkowanie wilgotnej glebie. Zadbać jedynie należy, by była dobrze zdrenowana i niezalewana zimą. Bardzo ładnie prezentuje się na tle skał, kamieni o ciemnej barwie, która podkreśla srebrzystość liści i uwydatnia żółte punkciki kwiatków. Zimuje dobrze, może cierpieć od nadmiaru wilgoci podczas częstych roztopów i opadów mokrego śniegu. Mnożenie przez podział zakorzenionych pędów. Daje również samosiew.

Cotula hispida

Crocus
Krokus, szafran

Zasięg występowania gatunków botanicznych rozciąga się od środkowej części Europy przez kraje wokół Morza Śródziemnego, Bliski Wschód, Azję Środkową do Chin. Większość występuje na podgórskich łąkach, halach, polanach śródleśnych i w zaroślach kosodrzewiny. W ogrodach sadzi się je przeważnie na skalniakach, skarpach, tarasach, obrzeżach rabat, wśród krzewów i karłowych iglaków, na wrzosowiskach i trawnikach.

Krokusy wymagają słonecznych stanowisk i lekkiej, żwirowo-gliniasto-próchnicznej, niezakwaszonej i nienawożonej, latem dość suchej gleby. Krokusy są drobnymi roślinami cebulowymi kwitnącymi wiosną lub jesienią. Kielichowate, do 5 cm długie, z długą na 5-15 cm rurką kwiaty wyrastają z niewielkich, mających 1-3 cm średnicy bulwek pokrytych brązową, ażurową łuską. Liście trawiaste, równowąskie, na 2-6 mm szerokie, do 15 cm długie, rozwijają się po przekwitnieniu lub jednocześnie z kwiatami. Latem liście zasychają i bulwki przechodzą okres spoczynku. Można w tym czasie je wykopać, podsuszyć, oczyścić i porozdzielać. Wiosenne sadzi się w październiku, a kwitnące jesienią wcześniej — sierpień-wrzesień. Gatunki wypuszczające liście jesienią wymagają okrycia z jedliny. Krokusy mnoży się przeważnie przez rozsadzanie bulwek przybyszowych. Nasiona powinno się wysiewać bezpośrednio po zbiorze. Niektóre gatunki rozsiewają się same, dając z czasem rozległe połacie.

Crocus ancyrensis

Jako reprezentantów tego rodzaju proponuję:

Crocus ancyrensis (szafran turecki) — pochodzi z Turcji i Chin. Kwiaty do 3 cm długości na długich rurkach, jaskrawopomarańczowe — na przedwiośniu.

Crocus chrysanthus (szafran złocisty) — bałkański, wiosenny. Kwiaty do 4 cm długie, kremowe lub żółte w różnych odcieniach i z brązowymi żyłkami, smugami na wierzchu płatków. W sprzedaży kilkanaście odmian i mieszańców o odmiennych kombinacjach barw.

Crocus goulimyi — grecki, kwitnący jesienią wraz ze wzrostem liści. Kwiaty do 4 cm długie, o cienkiej rurce i zaokrąglonych płatkach w dwóch odcieniach lila. Liście wymagają okrycia w razie bezśnieżnej, ostrej zimy.

Crocus sieberi (szafran Siebera) — występuje w Grecji i na Krecie. Kwiaty 2-3 cm długie, ciemnolilaróżowe z żółtą gardzielą. Forma *f. tricolor* ma dodatkowo biały pierścień wokoło żółtej nasady płatków. Kwitnie wczesną wiosną.

Crocus speciosus (szafran okazały) — rozpowszechniony w całej Azji Mniejszej. Kwiaty do 6 cm długie na wąskich rurkach, niebiesko-fioletowe z ciemniejszymi żyłkami i jaskrawopomarańczowymi, postrzępionymi znamionami słupków. Naturalna forma *f. albus* ma czysto białe kwiaty. Kwitnie jesienią, często do przymrozków.

Crocus tommasinianus (szafran Tommasiniego) — rośnie we Włoszech i na Bałkanach. Kwiaty do 3-5 cm długie, wysmukłe z długą rurką. Barwa kwiatów zmienna, od bladoróżowej po różowokarminową. Wierzchnie płatki są często jaśniejsze. W sprzedaży kilka wyselekcjonowanych form o zróżnicowanych kolorach. Kwitnie od przedwiośnia. Rośnie zdrowo i rozsiewa się obficie.

Crocus vernus (szafran wiosenny) — gatunek europejski kwitnący później niż inne, wiosenne. Kwiaty do 4-6 cm długie w różnych odcieniach bieli, lila i różu. Odmiana 'Vanguard' ma wewnętrzne płatki lilaniebieskie, a zewnętrzne srebrzystoszare. W sprzedaży liczne barwne odmiany sadzone chętnie na rabatach i skwerach miejskich.

Crocus goulimyi
Crocus Sieberi f. tricolor

Crocus speciosus
Crocus speciosus f. albus

Crocus tommasinianus
Crocus vernus 'Vanguard'

Erigeron glaucus
Przymiotno sine

Pochodzi z zachodniego wybrzeża Ameryki Północnej. Zwarta, do 20-30 cm wysoka bylina o łyżeczkowanych, do 15 cm długich, pokrytych szarym nalotem liściach. W fazie przed kwitnieniem liście tworzą przyziemne rozety. Na przełomie wiosny i lata na słabo rozgałęzionych pędach pojawiają się koszyczki o wąskich płatkach i wyraźnych środkach. Kilka odmian ogrodowych ma koszyczki białe, lila i różowe.

Niewysokie, idealne na skalnik, kamienisty stok, obrzeże rabaty. Lubią słoneczne lub co najmniej widne miejsca i przepuszczalną, przeciętnie żyzną, niekwaśną, umiarkowanie wilgotną glebę. Nie lubią wody stagnującej u stóp podczas zimy. Mrozoodporność wystarczająca. Mnożenie przez podział na przedwiośniu lub wysiew nasion w pojemnikach, inspekcie — także wiosną.

Erigeron glaucus

Eryngium bourgatii
Mikołajek iberyjski

Naturalne stanowiska na Półwyspie Iberyjskim (Pireneje). Kępiasta bylina o odziomkowych, długoogonkowych, skórzastych, podwójnie pierzastych, bardzo kolczastych, wyraźnie żyłkowanych liściach. Walcowate, do 2-3 cm długie, srebrzyste lub niebieskawe główki z szydlastymi podsadkami pojawiają się w drugiej połowie lata na rozgałęzionych, mających 20-40 cm wysokości pędach.
Ładny, niewysoki mikołajek, nadający się do ogrodów skalnych, na kamieniste zbocza i murki. Kocha słońce i ciepło. Gleba powinna być lekka, pulchna i niezbyt wilgotna. Zimuje dobrze. Rozmnażanie z nasion, od razu na miejsce stałe lub do doniczek.

Eryngium bourgatii

Eryngium glaciale
Mikołajek lodowcowy

Pochodzi z wyżynnych i górzystych obszarów Hiszpanii. W naturze, niska (10-20 cm), kępkowa bylina o odziomkowych, ogonkowych, w zarysie owalnych, lecz głęboko pociętych na wąskie, kolczaste części liściach. Pod koniec wiosny wyrastają cienkie pędy z niebieskawymi główkami osadzonymi na szydlastych podsadkach.

Wdzięczna miniaturka, przydatna na półki skalne i murki. Wymaga słonecznego stanowiska i przepuszczalnej, piaszczysto-gliniastej z niewielkim dodatkiem próchnicy, raczej suchej gleby. Zimą stanowisko nie powinno zamakać. Mrozoodporność wystarczająca. Mnożenie ze świeżo zebranych nasion.

Eryngium glaciale

Eryngium variifolium
Mikołajek różnolistny

Jego ojczyzną są góry Atlas (Maroko, Tunezja) na północnych krańcach Afryki. Zimozielona bylina o mocnych korzeniach i osadzonych rozetowo liściach. Wiosną są to płaskie rozety złożone z gęsto ułożonych, jajowatych, ząbkowanych, ciemnozielonych liści z wyraźnym białym unerwieniem. Kwitnące dorosłe rośliny mają odziomkowe liście do 15 cm długie, osadzone na mających 20-30 cm ogonkach. Im wyżej w górę łodygi, tym liście są mniejsze, bardziej ząbkowane, kolczaste i intensywniej wybarwione. Na szczycie mających 30-40 cm, rozgałęzionych pędów osadzone są jajowate, szaroniebieskie główki na kolczastych, wąskich kryzach. Kwitnie długo, od połowy lata.

Bardzo malowniczy przez cały sezon i jak na przybysza z Czarnego Lądu wcale nie tak wrażliwy. Nadaje się na szersze półki większych skalniaków lub kamieniste skarpy, murki. Potrzebuje jak najwięcej słońca i lekkiego, żwirowatego, umiarkowanie wilgotnego podłoża. Nie znosi zalewania korzeni podczas zimy. Na suchszych stanowiskach zimuje dobrze. Łatwo zawiązuje nasiona, które wysiane od razu po zbiorze kiełkują (wiosną) w wysokim procencie.

Eryngium variifolium

Eryngium venustum

Przybysz z dalekiego Meksyku, możliwy (przy odrobinie dobrych chęci) do uprawy w naszych ogrodach, a jego uroda rekompensuje wszelkie nakłady. Bardzo regularne rozety składają się z szarozielonych, wąsko pociętych, bardzo kolczastych liści, które mogą mieć do 30 cm długości i ok. 8 cm szerokości. Zielonkawe, mające ok. 1,5 cm średnicy główki z krótkimi, szydlastymi podsadkami osadzone są na rozgałęzieniach do 40-60 cm wysokiej, sztywnej łodygi. Kwitnie od połowy lata. Rzadki (na razie), niezwykle efektowny, idealny na wyższe półki skalniaka. Wymaga ciepłego, słonecznego stanowiska i dobrze zdrenowanego żwirem lub gruzem podłoża. Mrozoodporność niepewna. Ostatnie nietypowe, ciepłe zimy nie pozwalają przetestować wytrzymałości na mróz. Na pewno nie zaszkodzi osłonięcie jedliną i okrycie daszkiem z szyby przed nadmiarem zimowej wilgoci. Kwitnie dość późno, ale przy ciepłej jesieni powinien zdążyć z zawiązaniem nasion. Wysiewa się je (wiosną) na powierzchnię gleby, najlepiej w pojemniki przykryte szybą i wstawione do inspektu lub szklarni.

Fritillaria acmopetala
Fritillaria aurea

Fritillaria
Szachownica

Rozprzestrzenione są w pasie klimatu umiarkowanego Europy, Azji i Ameryki Północnej. Zasiedlają przeważnie wyżynne i górskie łąki, hale, zarośla kosodrzewiny i przerzedzone lasy. Są też gatunki rosnące w nizinnych lasach i na podmokłych łąkach. Nadające się na skalniak gatunki pochodzą w większości z terenów wokół Morza Śródziemnego i dalej przez Kaukaz w stronę Chin. Panujący tam klimat charakteryzuje się gorącymi, suchymi latami, ale i ubogimi w opady zimami. Cebule przechodzą więc spoczynek letni i zimowy w suchym środowisku i jest to przeważnie podstawowy, decydujący o powodzeniu w uprawie warunek. Na skalniaku można to częściowo osiągnąć poprzez odpowiedni dobór składników gleby (żwir, chuda glina, stary kompost) i staranny drenaż podłoża. Latem, po zaschnięciu liści, można ograniczyć podlewanie najbliższej okolicy, a na zimę osłonić daszkami z szyby, okien inspektowych itp. Można również sadzić cebule do ażurowych koszyczków wyjmowanych z gruntu na okres letniego spoczynku. Cebule szachownic mnożą się przez podział dość powoli, ale większość daje cebulki przybyszowe. Dość łatwo też rozmnożyć z nasion, wysiewając je do pojemników zadołowanych na zimę w ogrodzie, najlepiej w zimnym inspekcie. Cebulki wchodzą w okres kwitnienia po 3-4 latach. Warto wysiewać, gdyż wiele gatunków charakteryzuje się dużą zmiennością, jeśli chodzi o zabarwienie kwiatów, i można wyselekcjonować ciekawe formy.

Z bardziej i mniej znanych nadają się do uprawy na naszych skalniakach:

Fritillaria acmopetala (szachownica ostropłatkowa) — pochodzi z Azji Mniejszej (Syria, Liban), do 40 cm wysoka. Liście równowąskie, sine. Kwiaty po 1-3, zwisłe, do 4 cm długie, zielonkawe z wewnętrznymi płatkami zabarwionymi na brązowo. Gatunek trwały i łatwy w uprawie. Wymaga nieco żyźniejszego podłoża i pełnego słońca.

Fritillaria aurea (szachownica złocista) — występuje w Turcji i na Sycylii. Niska, osiąga 10-15 cm, liście w okółku lub naprzemianległe. Kwiaty szerokodzwonkowate, złocistożółte w brązową kratkę

— w kwietniu. Piękna i dość trwała, gdy jest suche lato i nie za mokra zima.

Fritillaria camschatcensis (szachownica kamczacka) — pochodzi z północnych krańców Ameryki (Alaska) i Japonii. Wysoka do 45 cm. Liście lancetowate, dolne w okółkach, zielone, połyskliwe. Kwiaty po 2-8, zwisłe lub skierowane na boki, szerokodzwonkowate, do 3 cm długie, brązowoczarne. Istnieją formy o kwiatach żółtych i zielonkawych. Kwitnie na początku lata. Dobrze czuje się w półcieniu na próchnicznym, dość wilgotnym podłożu. Jedna z łatwiejszych w uprawie.

Fritillaria caucasica (szachownica kaukaska) — porasta górskie łąki w Armenii, Gruzji. Wysoka do 20-30 cm. Liście lancetowate, matowe, sinozielone. Kwiaty dzwonkowate, zwisłe, fioletowe z popielatym nalotem — w kwietniu. Lubi próchniczną glebę i słoneczne stanowiska. Mniej wrażliwa na zimową wilgotność podłoża.

Fritillaria graeca (szachownica grecka) — występuje na Krecie oraz Grecji. Wysokość do 20 cm. Liście dolne szerokolancetowate, wyższe wąskie, niebieskawe. Kwiaty długości 2-3 cm, kasztanowe z zieloną pręgą przez środek płatka. Nie lubi zimować w mokrym podłożu.

Fritillaria hermonis — pochodzi z Turcji i Syrii. Bardzo zmienna, do 15-30 cm wysoka. Liście lancetowate, sine. Kwiaty po 1-2, dzwonkowate, zwisłe, 3-4 cm długie, jasnozielone z niewyraźną, brązową kratką. Wrażliwa na mokre zimy i wczesnowiosenne przymrozki.

Fritillaria imperialis (szachownica cesarska) — naturalne stanowiska od Turcji do Indii. Mocne, do 1-1,5 m wysokie pędy. Liście w okółkach, lancetowate, jasnozielone. Kwiaty po 4-8 w baldachach, dzwonkowate, zwisłe, do 5-8 cm długie, z pękiem liści (podkwiatków) na szczycie pędu. Gatunek ma pomarańczowe kwiaty, lecz w uprawie jest kilka odmian, m.in.:

'Aureomarginata' — o liściach z wyraźnym kremowym obrzeżeniem.

'Lutea' — o czysto żółtych kwiatach

'Rubra Maxima' — o krótszych, ale szeroko otwartych, czerwonych kwiatach.

Fritillaria camschatcensis

Fritillaria imperialis 'Aureomarginata'
Fritillaria michailovskyi

Wszystkie nadają się na większe skalniaki, podwyższone rabaty, skarpy. Każda przepuszczalna, umiarkowanie żyzna i nie za mokra gleba oraz słoneczne stanowisko są odpowiednim miejscem uprawy.

Fritillaria michailovskyi (szachownica Michajłowskiego) — pochodzi z Turcji. Niska, osiąga 10-20 cm, z lancetowatymi, zielonymi liśćmi. Kwiaty po 2-7, szerokodzwonkowate, do 3 cm długie, czekoladowe z żółtymi brzegami płatków. Kwitnie na przełomie wiosny i lata. Cenna na skalniak o słonecznej wystawie i dobrze zdrenowanym, niezamakającym zimą podłożu.

Fritillaria olivieri (szachownica Oliviera) — irańska, bardzo zmienna, do 30-40 cm wysoka. Liście lancetowate z szarym nalotem. Kwiaty zwisłe, dzwonkowate, ok. 4 cm długie w różnych, oliwkowozielonych odcieniach. Kwitnie pod koniec wiosny. Znosi lekkie ocienienie, ale gleba musi być przepuszczalna, umiarkowanie wilgotna wiosną i obsychająca na zimę.

Fritillaria orientalis (szachownica wschodnia) — występuje od Włoch przez Bałkany po Kaukaz, gdzie można ją spotkać na słonecznych stokach, stepach, górskich łąkach. Wysoka na 20-30 cm, o wąskolancetowatych, sinozielonych liściach. Kwiaty po 1-3, zmienne, dzwonkowate lub kubkowate, zielonkawe z ciemną kratką, z wierzchu często bardzo ciemne, brązowoczarne. Kwitnie od kwietnia do maja. Jak większość z tego regionu lubi słońce, ciepło i lekką, przepuszczalną, nie za wilgotną glebę.

Fritillaria pallidiflora (szachownica bladokwiatowa) — zasięg występowania rozciąga się od Syrii przez Iran aż do Chin. Wysoka do 40 cm. Liście lancetowate, niebieskozielone. Kwiaty po 5-10, szerokodzwonkowate, zwisłe, 4-5 cm długie, kremowe z ciemniejszymi żyłkami — pod koniec wiosny. Trwała i mało wymagająca — ale podstawowe potrzeby (słońce i lekka gleba) należy zapewnić.

Fritillaria pyrenaica (szachownica pirenejska) — pochodzenie zgodne z nazwą. Wysoka na 30-45 cm, z lancetowatymi, sinymi liśćmi. Kwiaty pojedyncze, rzadko po dwa, szerokodzwonkowate, 3-4 cm długie, ciemnobrązowe z żółtymi, wywiniętymi końcami płatków. Kwitnie pod koniec wiosny. Dość łatwa w uprawie i mniej wrażliwa na zimową wilgoć, ale drenaż podłoża konieczny.

Fritillaria raddeana
Fritillaria tubiformis

Fritillaria raddeana (szachownica Raddiego) — pochodzi z Turcji, Iranu. Wysoka do 60 cm. Liście w okółkach, jasnozielone. Kwiaty po 5-10, dzwonkowate, szeroko otwarte, przewijające, do 6 cm długie, kremowe z ciemniejszym wierzchem płatków. Nad kwiatami kilka zielonych liści (podkwiatków). Zaczyna wegetację bardzo wcześnie i pąki kwiatowe mogą być uszkadzane przez przymrozki. Uprawa zbliżona do szachownicy cesarskiej.

Fritillaria stenanthera (szachownica wąskokwiatowa) — naturalne stanowiska na Zakaukaziu (Uzbekistan). Do 20 cm wysoka, delikatnej budowy. Liście odziomkowe, jajowate, łodygowe równowąskie. Kwiaty po 3-8, dzwonkowate z szeroko rozchylonymi końcami płatków, ok. 2 cm długie, różowe z ciemniejszym wierzchem i środkiem. Dość delikatna i wymagająca. Lubi żyzną glebę, dość wilgotną wiosną, ale prawie suchą podczas spoczynku letniego. Wskazana uprawa w ażurowych pojemnikach wyjmowanych z gruntu w fazie zasychania liści. Warto też opóźnić sadzenie, by wiosenne przymrozki nie uszkodziły wcześnie wybijających liści i pąków kwiatowych.

Fritillaria tubiformis, **F. tubaeformis** (szachownica trąbkowata) — występuje w wapiennych Alpach po włoskiej i francuskiej stronie. Niewielka, do 10-15 cm długości, o lancetowatych, niebieskawych liściach. Kwiaty pojedyncze, szerokodzwonkowate, do 5 cm długie, z wierzchu różowokarminowe, czasami z jasnymi plamkami lub nalotem, wewnątrz przeważnie ciemniejsze, bordowe. Kwitnie w kwietniu. Początkowo pędy są bardzo krótkie i kwiaty prawie leżą na powierzchni gruntu. Jedna z ładniejszych szachownic. Mniej też wrażliwa na wilgotność podłoża podczas letniego spoczynku. Może być uprawiana wraz z krokusami i irysami cebulowymi.

Fritillaria uva — **vulpis** (szachownica lisia) — jej ojczyzną jest Turcja i Irak. W handlu często pod nazwą *F. assyriaca*. Wysoka na 20-40 cm, z długimi, lancetowatymi liśćmi. Kwiaty po 1-2, dzwonkowate, stulone, ok. 2 cm długie, brązowo-fioletowe z jasnym nalotem i żółtymi końcami płatków. Kwitnie wiosną. W porównaniu z innymi, pochodzącymi z tego regionu, dość żywotna i niewybredna. Dobrze rośnie na każdej lekkiej, próchnicznej, umiarkowanie wilgotnej glebie.

Fritillaria verticillata (szachownica okółkowa) — pochodzi z górzystych rejonów Chin. Wysoka na 40-60 cm, z równowąskimi liśćmi zwężającymi się w czepne końce. Kwiaty po 5-15 w luźnym gronie, szerokodzwonkowate, do 3,5 cm długie, przewijające, kremowe w delikatną, zielonkawą kratkę lub żyłki. Kwitnie w środku wiosny. Wymagania jak u większości szachownic z tego regionu: słońce, drenaż, sucho podczas letniego spoczynku. Oryginalna, nieco odmienna od innych, występuje też pod nazwą *F. thunbergii*.

Fritillaria walujewii (szachownica Wałujewa) — występuje na stepach Afganistanu, ale także w sosnowych lasach w górach Tien-szan. Wysoka na 20-50 cm. Liście lancetowate, górne prawie równowąskie. Kwiaty po 1-2, szerokodzwonkowate, do 5 cm długie, z wierzchu szaroróżowe, wewnątrz karminowobordowe. Może rosnąć w rozproszonym świetle lub lekkim ocienieniu. Podłoże powinno być dość żyzne z dodatkiem kompostu liściowego i przekompostowanego igliwia. Odpowiednim miejscem może być niewielkie wzniesienie lub skarpa porośnięta karłowymi iglakami i roślinnością wrzosowatą. Na zimę warto okryć warstwą kory, suchych liści i jedliną.

Fritillaria verticillata

Gentiana acaulis
Goryczka bezłodygowa

Gatunek rozpowszechniony w europejskich górach (Alpy, Karpaty, Pireneje). Kępki odziomkowych, rozetowo osadzonych, do 5 cm długich, lancetowatych, skórzastych, gładkich, często o falistych brzegach, zimozielonych liści. Z wnętrza starszych rozetek od maja do końca lata wyrastają krótkie, mające 2-10 cm pędy, czasami z parami liści, zakończone wąskodzwonkowatymi, wzniesionymi, do 5-6 cm długimi, niebieskimi kwiatami. Wnętrze korony z zielonymi plamkami. W uprawie przeważnie mieszańce oferowane pod różnymi nazwami: *G. angustifolia*, *G. clusii*, *G. kochiana*. Różnią się pokrojem, barwą i wielkością kwiatów.

Jeden z ładniejszych przedstawicieli flory górskiej, obowiązkowy na każdym skalniaku. Mieszańce, tak różne z pokroju, siły wzrostu, obfitości kwitnienia — pod względem wymagań są do siebie podobne. Na odczyn podłoża dość tolerancyjne, więc najkorzystniejsze jest obojętne. Gleba powinna być przepuszczalna, żwirowo-próchniczno-gliniasta, zdrenowana dodatkowo tłuczniem lub gruzem. Najważniejsza w sumie jest odpowiednia wilgotność podłoża. Podłoże wysychające (choćby okresowo), nadmiernie nagrzewające się latem — jest najczęstszą przyczyną niepowodzeń. Równie jednak szkodliwe będzie zalewanie podczas zimy. Przy odpowiednim podłożu stanowisko może być w pełnym słońcu. Nie wymaga zabezpieczeń na zimę. Liście opadłe z pobliskich drzew należy usuwać, gdyż mogą powodować gnicie liści. Mnożenie z nasion wskazane z powodu możliwości otrzymania nowych (może ładniejszych) form. Wysiewa się je do płaskich pojemników na powierzchni pulchnej, przesianej gleby i pozostawia na zimę w ogrodzie. Dla większego bezpieczeństwa warto przykryć cienko włóknistym torfem lub drobnymi gałązkami jedliny. Łatwiejsze mnożenie przez podział i odcinanie rozłogowych odrostów.

Gentiana acaulis

Gentiana acaulis 'Alba'
Gentiana x acaulis 'Lichtblau'

Gentiana x acaulis — siewka z Anglii
Gentiana clusii 'Alboviolacea'

Gentiana grossheimii

Kaukaska goryczka o wzniesionych, zaczerwienionych, do 10-15 cm długich pędach. Kwitnące
pędy półleżące, z kwiatami w górnej części. Liście siedzące, naprzeciwległe, jajowate, do 2,5 cm
długie, gładkie, zielone, pod jesień bordowo na-
biegłe. Kwiaty do 3-4 cm długie, niebieskie, wewnątrz jasne z drobnymi plamkami, z wierzchu
ciemne. Wcięcia między płatkami postrzępione.
Kwitnie między czerwcem a sierpniem.

Dość łatwa w uprawie, trwała i niezawodna.
Doskonała na niższe półki skalne, murki, tarasy.
Może rosnąć w pełnym słońcu, ale podłoże powinno być dość chłodne i latem niewysychające. Gleba próchniczna, przepuszczalna, niezakwaszona. Zimuje bez problemów. Mnożenie
z nasion — jesienią.

Gentiana grossheimii

Gentiana sino-ornata 'Alba'
Gentiana sino-ornata 'Eugens Allerbester'

Gentiana sino-ornata
Goryczka paskowana

Pochodzi z południowo-zachodnich prowincji Chin. Jest częściowo zimozieloną, tworzącą trawiastą darń byliną. Pędy leżące, w czasie kwitnienia podnoszące się, zakorzeniające, gdy latem podłoże jest wystarczająco wilgotne. Liście do 3 cm długie, równowąskie, zaostrzone, gładkie. W uprawie dziesiątki odmian o odmiennym pokroju i barwie kwiatów.

Do najcenniejszych z pewnością należą:

'Alba' — o białych, z wierzchu zielonkawych kwiatach.

'Eugens Allerbester' — mająca pełne, niebieskie, do 6 cm długie kwiaty. Kwitnie wczesną jesienią.

Wszystkie dostępne na rynku odmiany są cennym i uroczym nabytkiem do ogrodu skalnego. Ponieważ wymagają kwaśnego, próchniczno--torfowego, wilgotnego podłoża, często sadzi się je również na obrzeżach wrzosowisk i wśród iglaków, różaneczników. Gdy podłoże jest odpowiednie i niewysychające latem, znoszą pełne nasłonecznienie i obficiej na takich stanowiskach kwitną. Mrozoodporność wystarczająca. Mnożenie łatwe przez oddzielanie rozetek „rozmnóżek" powstających wzdłuż łodygi. Należy tego dopilnować pod koniec lata, gdy w tych miejscach pojawiają się młode, białe korzonki. Starsze, rozrośnięte kępki można (a nawet powinno się) dzielić co 2-3 lata — wiosną.

Gentiana x scabra 'Alba'
Gentiana x scabra 'Zuki Rindo'

Gentiana x scabra
Goryczka szorstka

Skrzyżowanie dwóch azjatyckich gatunków: *G. septemfida* x *G. scabra*, dało kilka bardzo ciekawych mieszańców o połączonych, najcenniejszych cechach. Odmiana 'Zuki Rindo' jest kępiastą, do 20-30 cm wysoką byliną o niezbyt sztywnych, rozgałęzionych, gęsto ulistnionych, czerwonawych pędach. Liście siedzące, jajowate, 2-3 cm długie, gładkie. Pod konicc lata na końcach rozgałęzień pojawiają się sterczące, dzwonkowate, mające 3-4 cm długości, różowe z ciemniejszymi paskami na wierzchu kwiaty. Odmiana 'Alba' ma kwiaty białe z seledynowym pasem na wierzchu płatków. Kwitnienie trwa aż do przymrozków.

Jedne z piękniejszych, jesiennych goryczek. W sumie powinny znaleźć się w dziale „Leśne zakątki", gdyż tam łatwo znalazłoby się dla nich odpowiednie miejsce, a niewiele skalniaków spełni ich oczekiwania. Wymagają stanowisk w rozproszonym świetle o chłodnym, próchniczno-torfowym, kwaśnym i dość wilgotnym podłożu. Tak więc trochę nietypowy skalniak, obsadzony miniaturowymi iglakami i roślinnością wrzosowatą mógłby być odpowiednim miejscem dla tych goryczek. Zimują dobrze. Mnożyć można przez podział wczesną wiosną. Korzenie są dość grube i długie, ale wielopędowe kępy dają się rozdzielić. Z nasion (wysiew jesienią) można otrzymać potomstwo o różnych cechach, przeważnie niewielki procent zachowuje matczyną barwę kwiatów.

Geranium argenteum
Bodziszek srebrzysty

Naturalne stanowiska w południowych Alpach i Apeninach. Kępkowa, do 15 cm wysoka bylina o odziomkowych, długoogonkowych liściach. Są one w zarysie okrągłe, głęboko aż do nasady podzielone, srebrzyście, miękko omszone. Latem na poziomie liści rozwijają się kilkukwiatowe wierzchotki. Kwiaty mają 3-4 cm średnicy, bladoróżowe z ciemniejszymi żyłkami.

Klejnot górski i rarytas w bardziej zaawansowanych kolekcjach. Wymaga nasłonecznionych stanowisk i zdrenowanego gruzem wapiennym i tłuczniem skalnym podłoża. Zimą źle znosi nadmiar wilgoci. Wskazane zabezpieczenie daszkiem z szyby. Rozmnażanie z nasion wysianych wiosną. W naszym klimacie rzadko zawiązuje zdolne do kiełkowania nasiona.

Geranium argenteum

Glaucium flavum
Siwiec żółty

Gatunek występuje na wysokich, suchych i jałowych brzegach wokół Morza Śródziemnego. Jest krótkowieczną byliną o sztywnych, rozgałęzionych, do 40-80 cm wysokich pędach wyrastających z rozet pierzastowrębnych, mających 25- -30 cm długości, niebieskawych, gładkich liści. Przez całe lato, często aż do przymrozków, tworzą się podobne do maków, mające ok. 5 cm średnicy, żółte lub pomarańczowe kwiaty. Dostępne w handlu nasiona *G. flavum var. aurantiacum* dają rośliny o lśniącej, pomarańczowo- czerwonej barwie.

Niezbyt trwała, uprawiana przeważnie jako roślina 1-2-letnia, ale przepięknie, kontrastowo zabarwiona. Ładnie prezentuje się wśród większych kamieni na skalniaku czy skarpie. Wymaga pełnego słońca i lekkiej, żwirowej, dość jałowej i niezbyt wilgotnej gleby. Na żyźniejszym podłożu rozrasta się nadmiernie, tracąc pokrój i intensywność barw. Rozmnażanie z nasion zawiązujących się w długich do 30 cm, wąskich nasiennikach. Daje samosiew, więc wystarczy uważać przy plewieniu i pozostawić część siewek, które zastąpią zamierające rośliny mateczne. Można też wysiewać do doniczek i podrośnięte siewki przesadzać z bryłką, gdyż źle znoszą uszkadzanie korzeni.

Glaucium flavum var. aurantiacum

Gypsophila repens
Gipsówka rozesłana

Pochodzi z górskich regionów Europy Środkowej. W uprawie kilka odmian ogrodowych o odmiennym pokroju. Warto polecić 'Dorothy Teacher' dającą dość zwarte, płaskie, z czasem rozpostarte do 30 cm średnicy kępy. Łodyżki cienkie, rozgałęzione. Liście lancetowate, do 2-3 cm długie, sinozielone, częściowo zimotrwałe. Latem i jesienią wydaje rozpierzchłe kwiatostany z jasnoróżowymi, ciemniejącymi podczas przekwitania, mającymi ok. 1,5 cm średnicy kwiatkami.

Cenna i łatwa w uprawie. Przydatna na każde słoneczne miejsce na skalniaku, murku, skarpie. Podłoże powinno być lekkie, przepuszczalne, umiarkowanie wilgotne i koniecznie wapienne. Zimuje dobrze. Mnożyć można przez letnie ukorzenianie niekwitnących pędów.

Gypsophila repens 'Dorothy Teacher'

Inula ensifolia
Oman wąskolistny

Gatunek występuje w Europie łącznie z europejską częścią Rosji i Kaukazem. Jest kępiastą, do 30 cm wysoką byliną o prostych, nierozgałęzionych, dających krótkie rozłogi pędach. Liście wąskolancetowate lub równowąskie, zaostrzone, do 8 cm długie, skórzaste. W ogrodach skalnych warto sadzić odmianę 'Compacta', niższą i o bardziej zwartym pokroju. Kwiaty mają 2-4 cm średnicy, żółte, pojedyncze na szczytowych rozgałęzieniach pędów. Kwiaty rozwijają się stopniowo od połowy lata.

Cenna, trwała i niewybredna bylina nadająca się na niższe stopnie skalniaka, pochyłości skarpy, obwódki podwyższonej rabaty. Odpowiedni pokrój zachowa w pełnym słońcu, na przepuszczalnym, niezbyt żyznym i nie za wilgotnym podłożu. Zimuje bez problemów. Mnożenie łatwe przez podział lub oddzielanie pojedynczych, ukorzenionych pędów po obwodzie kępy.

Inula ensifolia 'Compacta'

Inula rhizocephala
Oman grubokorzeniowy

W naturze występuje na Bliskim Wschodzie. Płaskie, naziemne, do 20 cm średnicy rozety z szerokolancetowatych, zaokrąglonych, orzęsionych liści. Na przełomie wiosny i lata ze środka rozety wyrastają siedzące, mające 2-3 cm średnicy, żółte koszyczki.

Piękny, skalny klejnot, idealny na wyższe półki, murki i do kamiennych koryt. Potrzebuje dużo słońca i alkalicznej, dobrze zdrenowanej żwirem lub gruzem, umiarkowanie wilgotnej gleby. Nie jest trwałą byliną i przeważnie po przekwitnieniu zamiera. Mnoży się z nasion wysiewanych bezpośrednio na miejsce stałe lub do doniczek pozostawionych na zimę w inspekcie.

Inula rhizocephala

Iris Barbata Nana 'Boo'
Iris Barbata Nana 'Chanted'

Iris barbata nana
Kosaciec bródkowy niski

Nie jest gatunkiem, lecz grupą mieszańców otrzymanych z wielokrotnych krzyżowań, m.in. *I. lutescens*, *I. germanica* i innych. Charakteryzują się niskim — do 25 cm wzrostem i nierozgałęzionymi pędami z 1-2 kwiatami. Kwiaty stosunkowo duże o prawie poziomych dolnych płatkach. Kwitną od początku maja. W uprawie dziesiątki odmian we wszystkich kolorach, kombinacjach barw i odcieni. Sadzi się je przeważnie w większych ogrodach skalnych, na skarpach, tarasach i obrzeżach rabat. Wymagają pełnego słońca i przepuszczalnej, żwirowo-gliniastej, bardzo umiarkowanie wilgotnej gleby. Mrozoodporne. Trwałe, jeśli przestrzega się podstawowych zasad uprawy:

- sadzić na odpowiednie stanowiska (słońce i gleba),
- sadzić płytko, nasada liści i wierzch kłącza nie mogą być zagłębione w podłożu,
- przesadzać, dzielić nie rzadziej niż co 3-4 lata,
- nie sadzić w zagęszczeniu — korzystniej w małych, oddalonych kępkach,
- przestrzegać terminu przesadzania, mnożenia — lipiec, a w razie długotrwałej suszy — sierpień. Do dalszej uprawy przeznaczać tylko młode kłącza z obwodu kępy.

Jako typowych przedstawicieli tej grupy proponuję:

'Boo' — kwiaty kremowobiałe z dużą plamą w kolorze ultramaryny na dolnych płatkach. Bródka biała, w gardzieli przechodząca w pomarańczową.

'Chanted' — kwiaty różowe w ciemniejsze prążki. Bródka niebieska.

'Chubby Cheeks' — kwiaty białe w szaroniebiesko-żółtawe cienie.

'Little Chesnut' — górne płatki przydymione, żółte, dolne bordowe.

'Meadow Moss' — kwiaty żółte, cieniowane brązem i fioletem. Bródka niebieska.

'Michael Paul' — kwiaty fioletowoczarne. Bródka niebieska.

'Riches' — kwiaty łososiowe z ochrowymi prążkami na jasnej nasadzie dolnych płatków. Bródka czerwona.

'Strawberry Jam' — kwiaty lila ze śliwkową plamą na dolnych płatkach. Bródka niebieska.

Iris barbata nana 'Meadow Moss'
Iris barbata nana 'Michael Paul'

Iris barbata nana 'Riches'
Iris barbata nana 'Strawberry Jam'

Leucanthemopsis alpina
Złocieniec alpejski

Alpejski, wysokogórski (powyżej 3000 m), zasiedlający szczeliny i półki skalne. Niska, 5-10 cm, kępkowa bylina o pierzastodzielnych, do 2-3 cm długich, srebrzyście omszonych liściach. Latem pojedynczo na szypułkach rozwijają się białe, różowiejące podczas przekwitania, mające 1--1,5 cm średnicy koszyczki.
Uroczy, uchodzący za trudnego maluch dla zaawansowanych kolekcjonerów i na skalniaki z prawdziwego zdarzenia. Dogodnym stanowiskiem będą wąskie szczeliny w wyższych partiach skalniaka. W naturze często sąsiaduje ze skalnicą naprzeciwlistną (Saxifraga oppositifolia). Dobrze czuje się w pełnym słońcu, ale podłoże nie może latem wysychać. Gleba musi być kwaśna, najlepsza mieszanka torfu, ziemi darniowej, żwiru i chudej glinki. Górskie, śnieżne i mroźne zimy znosi bez problemów. Na nizinach, gdzie takie zimy rzadko się zdarzają, cierpi przeważnie od nadmiaru wilgoci i znacznych wahań temperatury. Zabezpieczenie szklanym daszkiem bywa wskazane. Mnożenie z nasion dość kłopotliwe, łatwiejsze przez oddzielanie zakorzenionych pędów — wiosną.

Leucanthemopsis alpina

Narcissus bulbocodium

Narcissus
Narcyz botaniczny

Gatunki botaniczne narcyzów występują w rejonie wokół Morza Śródziemnego, a ich środowiskiem naturalnym są wyżynne łąki, podgórskie hale, rzadkie lasy i zarośla, brzegi strumieni. Posłużyły do hodowli licznych odmian i mieszańców międzygatunkowych oraz niezliczonych (ponad 10 tysięcy) mieszańców ogrodowych sklasyfikowanych w 12 grupach. Kilku przedstawicieli tej rzeszy jest opisanych w części poświęconej rabatom, a tutaj rzut oka na kilku ich bardziej dzikich przodków.

Narcissus bulbocodium — jest typowym przedstawicielem grupy dzikich narcyzów. Liście do 20 cm długie, w przekroju okrągłe, ciemnozielone. Kwiaty żółte, z szeroką na ok. 3 cm, lejkowatą trąbką i szczątkowymi płatkami, pojedyncze na mających 10-15 cm pędach. Kwitnie w połowie wiosny.

Narcissus 'Jetfire' — mieszaniec z grupy *Cyclamineus*. Łodygi do 20 cm wysokie, z pojedynczymi, lekko zwieszonymi kwiatami o żółtych płatkach i pomarańczowych, płowiejących trąbkach.

Narcissus 'Rip van Winkle' — występujący również pod nazwami *N. minor* 'Plenus' lub *N. pumilus* 'Plenus'. Należy do grupy narcyzów pełnokwiatowych. Kwiaty mają ok. 5 cm średnicy, zielonkawożółte o wąskich płatkach. Wysokość pędów kwiatowych — 10--15 cm. Kwitnie obficie i na odpowiednim stanowisku niezawodnie.

Narcissus 'Tete a Tete' — mieszaniec z grupy *Tazetta*. Kwiaty mają 5-6 cm średnicy o żółtych płatkach i nieco ciemniejszych przykoronkach, osadzone po 1-3 na 15-centymetrowych pędach. Grupa ta uchodzi za mniej wytrzymałą na mrozy.

Narcyzy botaniczne, zarówno czyste gatunki i ich naturalne odmiany, jak i mieszańce nadają się do uprawy w ogrodach skalnych. Niższe, szersze półki, lekkie stoki, tarasy — to odpowiednie miejsca pod uprawę. Wymagają przeciętnie żyznego, wiosną dość wilgotnego podłoża. Po zaschnięciu liści cebule przesypiają lato i będą wdzięczne za osuszenie terenu. Można w tym czasie cebule wykopać, przesuszyć, rozdzielić wielocebulowe kolonie i jesienią posadzić na nowe miejsce.

Narcissus 'Jetfire'
Narcissus 'Rip van Winkle'   *Narcissus* 'Tete a Tete'

Petrophytum caespitosum

Pochodzi z Gór Skalistych w USA. Podkrzew o krótkich, naziemnych, leżących pędach tworzących zwarte kobierce. Listki zebrane rozetowo, łopatkowate, ok. 1 cm długie, jasnozielono--niebieskawe. Kwiatki drobne, pręcikowe, białawe, tworzące rozgałęzione, wałeczkowate, do 5 cm długie grona na mających 10 cm pędach. Kwitnie latem.

Bardzo ozdobne z pokroju i barwy liści. Przydatne na szersze półki skalne i szczeliny między kamieniami. Wymaga dużo słońca i dobrze zdrenowanego gruzem lub tłuczniem wapiennym podłoża. Na przepuszczalnych, niezamakających zimą stanowiskach zimuje dobrze. Rozmnażanie przez sadzonkowanie bocznych pędów — latem.

Petrophytum caespitosum

Pratia pedunculata
Pracja szypułkowa

Ojczyzną tej niskiej, zadarniającej rośliny jest Australia. Cienkie, rozgałęzione łodyżki zakorzeniają się w podłożu i tworzą rozległe kobierce. Listki okrągławe, do 1 cm średnicy, płytko ząbkowane. Osadzone na krótkich szypułkach, niebieskie, ok. 1 cm średnicy kwiatki pojawiają się przez całe lato.

Przybysz z południowej półkuli, możliwy do uprawy w naszych ogrodach. Odpowiednim stanowiskiem będą szersze półki skalniaka, obrzeża rabat i podnóża większych kamieni. Znosi słońce, lecz wskazane jest lekkie ocienienie w porze południowej. Podłoże powinno być dość żyzne, próchniczne i latem dość wilgotne. Wrażliwa na ostre i bezśnieżne lub nadmiernie wilgotne zimy. Wskazane okrycie warstwą jedliny i kawałkiem szyby, folii. Mnożenie łatwe, przez podział w ciągu całego sezonu, lecz zbyt późne (jesienią) ma mniejsze szanse na przezimowanie.

Pratia pedunculata

Pulsatilla 'Anna Zachar'

Przypadkowa, spontaniczna krzyżówka (przy udziale m.in. *P. cernua*) — wyselekcjonowana w moim ogrodzie. Liście dość długie, do 20 cm, drobno pocięte, krótko owłosione. Kwiaty na długich do 30 cm pędach, wzniesione, niezbyt duże (ok. 3 cm średnicy), z szerokimi płatkami zewnętrznymi i kilkoma rządkami wąskich, lancetowatych płatków wewnątrz. Kolor kwiatów karminowofioletowy — a raczej buraczkowy. Kwitnie później niż inne sasanki.

Nietypowa, odstająca od normy, pełna sasanka. Może być okazem w każdej kolekcji. Wymagania raczej typowe; słoneczne stanowisko i przepuszczalna, żwirowata, nie za mokra gleba. Zimuje bez problemów. Niestety nie zawiązuje nasion i mnożenie wyłącznie przez podział. Nadają się do tego starsze rośliny o popękanej, (podzielonej) szyi korzeniowej. Na przełomie lipca i sierpnia, ale dopiero gdy miną największe upały, można wykopać całą roślinę i porozrywać na części posiadające liście i wiązki korzeni. Liście starsze należy usunąć, a młode skrócić o połowę. Rany można zasypać węglem drzewnym. Podłoże nie powinno być zbyt mokre. Grubsze korzenie można pociąć na 5-8-centymetrowe odcinki i posadzonkować w gruncie lub inspekcie. Wiosną również z nich wyrosną liście.

Pulsatilla 'Anna Zachar'

Pulsatilla albana
Sasanka albańska

Pochodzi z kaukaskich łąk. Liście wielokrotnie pierzaste, bardzo drobno pocięte, miękko owłosione — rozwijają się wraz z kwiatami. Kwiaty na mających 10-15 cm pędach, dzwonkowate, do 2-3 cm długie, zwisłe, o zmiennych barwach. Płatki wewnątrz są przeważnie żółtawe lub brudnobiałe, a z wierzchu szarofioletowe. Odmiana *P. albana var. andina* ma kwiatki szeroko otwarte, wzniesione, żółte.

Rzadko spotykane w ogrodach, a odmiana uchodzi za rarytas w zasobniejszych kolekcjach. Tolerancyjne co do odczynu podłoża, mogą rosnąć na obrzeżach karłowych iglaków, a nawet miniaturowych azalii. Gleba powinna być przepuszczalna z domieszką żwiru i chudej glinki. Nie wymarzają w naszym klimacie. Z nasion dość wiernie powtarzają cechy. Nasiona wysiane od razu po zbiorze kiełkują w 50%, pozostałe przeległą do wiosny.

Pulsatilla albana var. andina

Pulsatilla patens
Sasanka otwarta

Naturalne stanowiska ciągną się od naszych zachodnich granic w kierunku wschodnim — przez Rosję po krańce Syberii. Liście ukazujące się pod koniec kwitnienia są w zarysie okrągłe, złożone z dość szerokich, lancetowatych listków. Pąki kwiatowe silnie, srebrzyście, miękko owłosione. Kwiaty duże, 5-7 cm średnicy, w odcieniach lilafioletowych. Odmiana żółtawa (*P. patens var. flavescens*) ma kwiaty jasnożółte z fioletowym cieniem na wierzchu płatków.

Wcześnie kwitnące, cenione przez kolekcjonerów i posiadaczy ogrodów skalnych. Żółto kwitnąca odmiana uchodzi za stale poszukiwany rarytas. Odpowiednim miejscem uprawy są słoneczne skalniaki, skarpy, kamieniste rabaty o przepuszczalnym, niezamakającym zimą podłożu. Mrozoodporne. Rozmnażanie ze świeżo zebranych nasion — od razu na miejsce stałe lub (korzystniej) ze wstępną uprawą w doniczkach.

Pulsatilla patens var. flavescens

Pulsatilla pratensis
Sasanka łąkowa

Zasięg występowania od Skandynawii po Bałkany — przeważnie na suchych, podgórskich łąkach i stokach. Liście pierzaste, drobno pocięte — wyrastają jednocześnie z kwiatami. Kwiaty zwisłe, początkowo stulone i prawie czarne, później rozchylone, bardzo ciemnofioletowe. Istnieją podgatunki i formy o odmiennych kolorach kwiatów. Kwitnie w maju.

Oryginalna, czarna sasanka mogąca stanowić cenne uzupełnienie kolekcji. Uprawa nieskomplikowana: słoneczne stanowisko na skalniaku o żwirowo-gliniastym, raczej suchym podłożu. Całkowicie mrozoodporna. Rozmnażanie z nasion — jak inne sasanki.

Pulsatilla pratensis

Pulsatilla turczaninovii
Sasanka Turczaninowa

Występuje na górskich łąkach w Mongolii, Mandżurii i na Syberii. Kępkowa bylina o odziomkowych, pierzastych liściach pociętych na dość szerokie segmenty. Jeśli liście innych sasanek można przyrównać do liści marchwi, to tego gatunku raczej do natki pietruszki. Na przełomie kwietnia i maja na zaczerwienionych, do 15- -20 cm długich pędach rozwijają się lekko zwisłe, dzwonkowate o wywiniętych końcach płatków, niebieskogranatowe z żółtymi pylnikami kwiatki. Dzwonki dłuższy czas pozostają stulone.

Jedna z ciekawszych, wyróżniająca się kontrastową barwą kwiatów i odmiennym ulistnieniem. Z pewnością może stanowić atrakcję każdej kolekcji i ozdobę każdego skalniaka. Wymaga słonecznego stanowiska i żwirowo-gliniastej, zdrenowanej gruzem i odłamkami skalnymi, umiarkowanie wilgotnej gleby. Mrozoodporność bez zastrzeżeń. Rozmnażanie ze świeżo zebranych nasion. Kiełkują jeszcze jesienią, ale część nasion przeleguje do wiosny.

Pulsatilla turczaninovii

Sagina boydi
Karmnik Boyda

Naturalne stanowiska można znaleźć na północy Anglii i w Szkocji. Wypukłe, zwarte poduszki złożone są z rozetek wąskolancetowatych, do 2 cm długich, lśniących, skórzastych, ciemnozielonych listków. Pojedyncze, zielonkawe kwiatki wyrastające latem nie mają wielkiej urody.

Jedna z ładniejszych, poduszkowych roślin na skalniaku. Niestety trochę kapryśna, uchodząca za trudną w uprawie. Odpowiednim miejscem powinny być skalne półki ze wschodnią wystawą, osłonięte przed południowym słońcem. Podłoże powinno być chłodne, żwirowe z domieszką chudej glinki i próchnicy, latem niewysychające, a zimą zabezpieczone przed zamakaniem. Najlepiej zimuje pod grubą warstwą śniegu. W innych przypadkach raczej konieczne okrycie jedliną i daszkiem. Mnożenie z letniego sadzonkowania pojedynczych rozetek.

Sagina boydi

Santolina chamaecyparissus
Santolina cyprysikowata

Gatunek pochodzi z rejonu Morza Śródziemnego. W uprawie kilka jego odmian różniących się barwą liści i pokrojem. Odmiana 'Weston' jest bardzo zwarta, do 15 cm wysoka, intensywnie srebrzysta. Gałązki mocno rozgałęzione. Listki podługowate, do 4 cm, grzebieniaste, srebrzyście omszone, aromatyczne. Guzikowate, jasnożółte kwiatostany, mające ok. 1 cm średnicy, na cienkich pędach pojawiają się latem.

Ozdobna z liści i pokroju, często formowana na miniżywopłoty. Lubi zaciszne, ciepłe i słoneczne stanowiska — najlepiej pod ścianą, murkiem, dużym kamieniem. Podłoże powinno być lekkie, dobrze zdrenowane i umiarkowanie wilgotne. Mrozoodporność w chłodniejszych regionach kraju — zawodna. Konieczna osłona z jedliny i okopcowanie korą lub kompostem. Rozmnażać można, ukorzeniając krótkie pędy w inspekcie lub szklarni.

Santolina chamaecyparissus 'Weston'

Scutellaria orientalis
Scutellaria orientalis var. pinnatifida

Scutellaria orientalis
Tarczyca wschodnia

Pochodzi z południowo-wschodniej Europy. Szeroko rozesłane kobierce cienkich, rozgałęzionych, czerwonawych, zakorzeniających się pędów z owalnymi, do 2 cm długimi, głęboko ząbkowanymi, szaro owłosionymi listkami. Latem pojawiają się sterczące, graniaste kwiatostany złożone z wargowych, do 2-3 cm długich, żółtych, czerwono plamkowanych na dolnej wardze kwiatów. Odmiana *S. orientalis var. pinnatifidu* jest podobna, lecz liście ma większe, ok. 4 cm długie i pierzasto pocięte na wąskie łatki.

Obie interesujące, zadarniająco-okrywowe, malowniczo wyglądające na stopniach skalniaka, murku lub między większymi głazami. Wymagają stanowisk słonecznych i dobrze zdrenowanego, żwirowatego, alkalicznego, umiarkowanie wilgotnego podłoża. Zimują dobrze, lecz w zimniejszych regionach warto okryć jedliną. Mnożenie łatwe przez podział zakorzenionych pędów — od wiosny do końca sierpnia.

Sedum sieboldii
Rozchodnik Siebolda

Japoński gatunek o leżących, nierozgałęzionych, na 10-20 cm długich, wyrastających ze zgrubiałych korzeni liściach. Są one mięsiste, okrągłe, ok. 2 cm średnicy, płytko, faliście karbowane, osadzone okółkowo po trzy. Odmiana 'Mediovariegatum' ma liście sine z szeroką, kremową plamą w środkowej części i zaczerwienione brzegi. Na przełomie lata i jesieni rozwijają się płaskie, mające do 6 cm średnicy baldaszki złożone z drobnych, różowych kwiatków.

Bardzo dekoracyjny (szczególnie dzięki liściom), przydatny na eksponowane miejsca na półkach skalnych, murkach i kamiennych korytach. Potrzebuje ciepłego, słonecznego miejsca o dobrze zdrenowanym, żwirowo-gliniastym, dość suchym podłożu. Wrażliwy na zimowe zamakanie. Wskazane zadaszenie i okrycie gałązkami jedliny. Mnożenie przez podział wiosną. Ukorzeniają się również szczytowe odcinki niekwitnących pędów.

Sedum sieboldii 'Mediovariegatum'

Teucrium ackermannii
Ożanka Akermana

Pochodząca z Azji Mniejszej niewielka krzewinka o ścielących się, do 15 cm długich, silnie rozgałęzionych pędach. Liście lancetowate, do 2,5 cm długie i ok. 4 mm szerokie, ciemnozielone z wierzchu i posrebrzane od spodu. Kwiatki wargowe, ok. 7 mm długie, różowokarminowe — w krótkich, początkowo płaskich szczytowych, gronach. Kwitnie latem.

Skromna, ale wdzięczna i niewymagająca. Może być przydatna na skalniaku, murku, kamiennym korycie. Lubi słońce i lekką, żwirową, suchą, niekwaśną glebę. Mrozoodporność wystarczająca. W razie podmarznięcia łodyżek należy je wiosną silnie przyciąć. Rozmnażanie przez letnie sadzonkowanie niekwitnących pędów.

Teucrium ackermannii

Teucrium pyrenaicum
Ożanka pirenejska

Naturalne stanowiska (zgodnie z nazwą gatunkową) w Pirenejach. Dywanowa, rozrastająca się rozłogami bylina o gęsto ulistnionych, leżących, do 5-10 cm długich, zaczerwienionych pędach. Liście prawie okrągłe, 1-1,5 cm średnicy, drobno karbowane, orzęsione, ciemnozielone. Latem płaskie grona lilaróżowych z kremowobiałą dolną wargą kwiatków.

Bardzo dekoracyjna, zadarniająca, idealna do wypełniania szczelin na półkach skalnych lub jako nawisy na murku. Wymaga ciepłego, nasłonecznionego stanowiska i suchej, żwirowo-kamienistej z niewielkim dodatkiem chudej glinki gleby. Mrozoodporność wystarczająca. Mnożenie wiosną przez podział rozłogowych pędów.

Teucrium pyrenaicum

Teucrium subspinosum

Występująca na Balearach niska (do 20 cm) krzewinka o silnie rozgałęzionych, biało omszonych pędach wyposażonych w krótkie, sztywne ciernie. Listki drobne, lancetowate, ciemnozielone, jaśniejsze od spodu. Latem, na końcach pędów, w kilkukwiatowych gronach rozwijają się różowe, dwuwargowe, do 5-8 mm długie kwiatki.

Bardzo interesująca, rzadko uprawiana krzewinka, nadająca się na słoneczne, wygrzane półki skalne. Wymaga dobrze zdrenowanego, raczej ubogiego, suchego, alkalicznego podłoża. Na żyźniejszej glebie lub z powodu nawożenia traci zwarty pokrój. Mrozoodporność dość duża, ale warto osłonić (szczególnie młode rośliny) daszkiem przed nadmiarem wilgoci i wiatrem. Mnożenie z letniego sadzonkowania bocznych pędów, najlepiej w inspekcie lub szklarni.

Teucrium subspinosum

Tulipa clusiana var. chrysantha

Tulipa
Tulipan botaniczny

Większość dostępnych w handlu (na kiermaszach, wystawach) tulipanów botanicznych pochodzi z suchych, stepowo-pustynnych terenów, począwszy od Turcji, przez Iran, Irak, aż po kraje zakaukaskie. W porównaniu z mieszańcami ogrodowymi są niższe, mają mniejsze kwiaty, węższe liście — ale wcale nie mniejszy urok. Wszystkie mają podobne zastosowanie w ogrodzie i wymagania. Najważniejsze jest podłoże i wystawa. Gleba musi być przepuszczalna, żwirowo-gliniasta z dodatkiem kompostu, nie kwaśna. Niższe, szersze półki skalniaka, kamieniste stoki, tarasy, podwyższone, południowe obrzeża rabat — to odpowiednie miejsca dla tulipanów botanicznych. Powinny rosnąć w pełnym, całodziennym słońcu. Podłoże jesienią i wiosną może być dość wilgotne, ale latem, gdy cebulki przechodzą okres spoczynku wegetacyjnego, powinno być jak najsuchsze. Ponieważ cebulek przeważnie nie wykopuje się każdego roku, puste miejsca po zaschnięciu liści i łodyg można obsadzić płytko korzeniącymi się kwiatami jednorocznymi. Zasłonią łysiny, a przez pobór wody z podłoża będą je osuszać. Warto również ograniczyć podlewanie tych miejsc. Co kilka lat należy jednak wykopać cebulki, przesuszyć, rozdzielić i posadzić w nowym miejscu. Rosnąc na jednym miejscu zbyt długo, cebulki drobnieją i coraz słabiej kwitną. Tulipany botaniczne zimują w naszym klimacie dość dobrze, chyba że nie zapewnimy im odpowiednich warunków. Ogólnie sprawiają mniej kłopotów niż mieszańce ogrodowe i zapewne nie zabraknie im wielbicieli.

Proponuję bliżej przyjrzeć się następującym gatunkom:

Tulipa biflora (tulipan dwukwiatowy) — do 10-15 cm wysoki, kwiaty gwiazdkowate, do 10 cm średnicy, białe z żółtą nasadą płatków, pojedyncze albo po 2 na łodydze.

Tulipa clusiana (tulipan Klusjusza) — do 30 cm wysoki, kwiaty do 10 cm średnicy. Odmiana *var. chrysantha* ma płatki z wierzchu czerwone, a wewnątrz żółte.

Tulipa greigi (tulipan Greiga) — do 50 cm wysoki, kwiaty dość duże, mające 10-12 cm średnicy. Jedna z odmian, 'Double Toronto', ma kwiaty różowe, podwójne.

Tulipa hageri (tulipan Hagera) — mający ok. 35 cm wysokości, kwiaty o 6-8 cm średnicy, czerwone z żółto-czarną nasadą płatków.

Tulipa polychroma (tulipan wielobarwny) — do 10-15 cm wysoki, kwiaty mają 5-6 cm średnicy, w pąku zaróżowione, wnętrze białe z żółtym środkiem, po kilka na pędzie.

Tulipa praestans (tulipan dostojny) — ok. 30 cm wysoki, kwiaty do 10 cm średnicy. Ma kilka ciekawych odmian, m.in. 'Fusilier' o ogniście pomarańczowoczerwonych kwiatach po kilka na łodydze.

Tulipa pulchella (tulipan niski) — do 10-35 cm wysoki, kwiaty do 7 cm średnicy. Do jego cenionych odmian należy m.in. 'Odalisque' — do 10 cm wysoka, kwiaty winnoczerwone z żółtym środkiem. Nowa odmiana 'Tete a Tete' ma pełne, ciemnoczerwone kwiaty, długo pozostające w pąku na poziomie gruntu.

Tulipa saxatilis (tulipan skalny) — do 35 cm wysoki, kwiaty mają 6-8 cm średnicy, różowe z dużym, żółtym środkiem, pachnące. Cebule powinno się wykopywać każdego roku i sadzić możliwie jak najpóźniej, nawet na początku listopada, liście bowiem mogą wyrastać już jesienią i podczas zimy przemarzać — a to ma wpływ na kwitnienie.

Tulipa sprengeri (tulipan Sprengera) — do 50 cm wysoki, kwiaty o 4-6 cm średnicy, czerwone. Jeden z wyższych i późno kwitnących.

Tulipa tarda (tulipan późny) — ok. 10 cm wysoki, kwiaty mają 5--6 cm średnicy, żółte z białymi końcami płatków, po kilka na łodydze. Trwały i niezawodny.

Tulipa greigi 'Double Toronto'
Tulipa polychroma

Tulipa praestans 'Fusilier'
Tulipa pulchella 'Odalisque'

Tulipa pulchella 'Tete a Tete'
Tulipa tarda

Zauschneria septentrionalis

Pochodząca z ciepłej Kalifornii bylina o luźno rozpostartych, cienkich, rozgałęzionych, do 20-30 (do 50) cm długich pędach. Liście siedzące, do 2 cm długie, jajowato-lancetowate, szaro omszone. Pod koniec lata zaczynają rozwijać się rurkowate z wciętymi płatkami, do 3 cm długie, jaskrawoczerwone kwiatki osadzone w pachwinach liści. Kwitnie bardzo długo, często aż do przymrozków.

Przepiękna, kolorem rzucająca się w oczy, mile widziana na każdym skalniaku czy kamienistej skarpie. Stanowisko słoneczne albo z lekkim ocienieniem w południe. Podłoże powinno być próchniczno-żwirowo-kamieniste, nie kwaśne, dość suche. Mrozoodporność zawodna, szczególnie w ostre, wietrzne, bezśnieżne zimy. Zabezpieczenie jedliną raczej konieczne. Po zimie można obmarznięte pędy krótko przyciąć. Mnożenie przez ukorzenianie krótkopędów wiosną i wczesnym latem.

Zauschneria septentrionalis

Leśne zakątki

*N*IE W KAŻDYM OGRODZIE rosną typowe drzewa leśne: sosny, świerki, dęby, buki, lecz do stworzenia cienistych zakątków w ogrodzie można wykorzystać jakiekolwiek, nawet owocowe. Najmniej pożądane są dające silne odrośla korzeniowe śliwy, lilaki, robinie. Mając cień wyższych drzew, dość łatwo można stworzyć podokapowe, leśne podszycie. Między rzadziej rosnące drzewa można dosadzić kilka cienioznośnych iglaków (jodła, cis) i liściaków (klon polny, różanecznik, laurowiśnia). Najważniejszym zadaniem będzie nadanie podłożu leśnego charakteru. Konieczne będzie wzbogacenie gleby w kompost pochodzący z liści, igliwia, torfu, kory i innych drzewnych odpadków. Pożądanym elementem będą też stare, spękane kamienie, próchniejące pnie (karpina) i korzenie. Przy odrobinie chęci i wyobraźni można z tych komponentów stworzyć zupełnie przyzwoity zakątek dla roślin leśnych. Dopełnieniem przedsięwzięcia byłby wąski strumyk albo małe oczko wodne. Z powodu niedostatecznej ilości słońca nie nadawałyby się do uprawy roślin wodnych, ale podnosząc wilgotność powietrza, poprawiłyby warunki bytowe dla wszystkich w otoczeniu. Poza tym woda przyciąga pożyteczne w ogrodzie żaby i szukające wodopoju drobne, owadożerne ptactwo.

Kolekcja drzew i krzewów — jeszcze kilka lat i będzie tu las — ogród p. Szewczyków z Krzywaczki koło Krakowa (s. 260-261)

Ogród leśny — fragment z azaliami, kielichowcem i magnolią — Arboretum Leśne w Ślizowie

Actaea pachypoda
Actaea pachypoda f. rubrocarpa

Actaea pachypoda
Czerniec grubopędowy

W naturze występuje w lasach wschodniej części Ameryki Północnej. Jest trwałą, do 80 cm wysoką byliną o silnych korzeniach i nieregularnie pierzastych, ząbkowanych liściach. Na przełomie wiosny i lata pojawiają się do 3-5 cm długie grona puszystych, białych kwiatków. Z nich zawiązują się białe z czarnym punktem, o 5-8 mm średnicy jagody osadzone na szypułkach, które w miarę dojrzewania owoców czerwienicją. Istnieje też forma o czerwonych owocach — *A. pachypoda f. rubrocarpa*.

Zwracające uwagę w porze dojrzałych owoców, przydatne do nasadzeń w leśnych, cienistych ogrodach. Gleba powinna być dość wilgotna, próchniczna na bazie kompostu liściowego. Mrozoodporność zupełna. Mnożenie przeważnie z nasion, gdyż grube korzenie utrudniają podział. Nasiona należy przemyć, by usunąć miąższ owocni i wysiać do pojemników zadołowanych w gruncie.

Anemonopsis macrophylla
Anemonopsis wielkolistny

Bylina japońskich, podgórskich lasów. Proste łodygi opatrzone są przeważnie 2 trójdzielnymi, gładkimi, klapowanymi i ząbkowanymi liśćmi. Latem pojawiają się kubkowate, mające ok. 3 cm średnicy, liliowofioletowe kwiatki osadzone pojedynczo na rozgałęzionych końcach łodyg. Po nich niewielkie, wywinięte do góry strączki z nasionami.

Uroczy, dość rzadki w ogrodach, azjatycki przybysz. Nadaje się przede wszystkim do leśnych ogrodów w zaciszne, ocienione miejsce o próchnicznym, bezwapiennym i dość wilgotnym podłożu. Na zbyt słonecznych stanowiskach latem zasychają liście, co niekorzystnie wpływa na kondycję roślin. Mrozoodporność wystarczająca. Mnożenie przez wysiew nasion jesienią lub podział większych egzemplarzy wiosną.

Anemonopsis macrophylla

Asarum europaeum
Kopytnik pospolity

Gatunek krajowy, występujący w lasach i zaroślach na terenie całego kraju. Pędy cienkie, rozgałęzione, pełzające, przyrastające do podłoża. Liście zimozielone, nerkowate, do 8 cm średnicy, na długich ogonkach. Wiosną pod liśćmi rozwijają się małc, do 1,5-2 cm długie, dzwonkowate, zielonkawo-bordowe kwiatki.

Gatunek stosowany do zadarniania cienistych miejsc pod i między drzewami, krzewami, w cieniu murów i altan. Na nieco jaśniejsze stanowiska warto (dla kontrastu) wprowadzić wyselekcjonowaną w moim ogrodzie odmianę 'Aurea' o wyraźnie żółtawych liściach. Barwa ta utrzymuje się przez cały sezon. Kopytnik lubi próchniczne, na bazie kompostu liściowego, niewysychające latem podłoże. Zupełnie mrozoodporny. Gatunek sam rozsiewa się w bliższej (a przy pomocy owadów) i dalszej okolicy. Odmianę trzeba mnożyć przez podział.

Asarum europaeum 'Aurea'

Asplenium scolopendrium 'Crispum Muricatum'
Asplenium scolopendrium 'Sagittata Cristata'

Asplenium scolopendrium (Phyllitis)
Języcznik zwyczajny

Paproć występująca w warunkach naturalnych w Środkowej Europie, na Dalekim Wschodzie i w Ameryce Północnej. Nie jest typową leśną paprocią — bardziej związana z górskim środowiskiem, porasta ocienione, północne zbocza, jary, szczeliny skalne — często w pobliżu wody. Ponieważ zdecydowanie lepiej się czuje w cieniu, sadzi się ją w leśnych ogrodach, między iglakami lub na północnych półkach większych skalniaków. Podłoże powinno być próchniczne, lekko alkaliczne, chłodne i latem niewysychające. Korzystny mikroklimat i schłodzenie podłoża można uzyskać, aranżując specjalne stanowiska z większych głazów i murszejących korzeni (karpina). Języczniki na odpowiednio przygotowanych miejscach rosną dobrze i zimują bez problemów. Podczas bardzo mroźnej, wietrznej zimy warto osłonić jedliną, szczególnie gdy liście są narażone na promienie słoneczne. Rozmnażanie paproci z zarodników to sprawa trudniejsza — dla bardzo cierpliwych i dysponujących zapleczem. Przeważnie dzieli się starsze, rozrośnięte kępy. Powinno się to robić wiosną, przed rozwojem nowych liści. Starych, zimozielonych liści nie powinno się ścinać, zanim nie zaczną zasychać.

Czysty gatunek (u nas prawnie chroniony), pomimo niewątpliwej urody, nie jest zbyt popularny w ogrodach. Skutecznie wypierają go odmiany o fantazyjnie ukształtowanej blaszce liściowej, np.:

'Crispum' — liście do 30-50 cm długie, skórzaste, lśniące z silnie pofalowanymi brzegami. Odmiana przeważnie sterylna, nie wytwarza zarodników.

'Crispum Muricatum' — liście mniejsze, podobne, ale sztywniejsze i z widocznym żebrowaniem na wierzchniej stronie.

'Ramosa Cristata Nana' — miniaturowa, na 10-15 cm wysoka. Liście są rozdwojone i na wierzchołku silnie grzebieniaste.

'Sagittata Cristata' — liście strzałkowate z falistymi brzegami i gęstymi grzebieniami na końcach.

'Spirale' — odmiana o mających 20-30 cm długości, falistych i spiralnie skręconych liściach.

Asplenium scolopendrium 'Sp. 1'

'Undulatum Muricatum' — liście sztywne, wąskie o falistych, silnie karbowanych i żebrowanych brzegach

O tym, że warto jednak mnożyć z zarodników, mogą zaświadczyć niżej zaprezentowane, własne odmiany:

'Sp. 1' — w liściach można dopatrzeć się cech pięciu odmian: 'Crispum', 'Cristatum', 'Muricatum', 'Sagittatum' i 'Undulatum'.

'Sp. 2' — miniaturka mająca ok. 10 cm, o zmiennych, grubych, powyginanych, lśniących, mocno na brzegach karbowanych i rozwidlonych na końcach liściach.

Asplenium scolopendrium 'Sp. 2'
Asplenium scolopendrium 'Spirale'

Cardiocrinum giganteum
Cardiocrinum — nasienniki

Cardiocrinum giganteum
Kardiokrynum olbrzymie

Pochodząca z himalajskich lasów okazała, osiągająca 2-4 m wysokości lilia o grubym, do 10 cm średnicy pędzie i sercowatych, do 50 cm średnicy, lśniących liściach odziomkowych. W górę pędu liście coraz mniejsze. Latem na szczycie rozwija się do 20 trąbkowych, długich na 15--20 cm, białych z bordową gardzielą, przyjemnie pachnących kwiatów. Imponujący gigant mogący stanowić atrakcję każdego ogrodu. Aby osiągnął odpowiednie wymiary, potrzeba jednak czasu i nakładów. Młoda cebula wytwarza każdego roku kilka liści, coraz większych w miarę przyrostu masy cebuli. Po 7-8 latach od skiełkowania roślina jest dorosła i może zakwitnąć. W tym roku gwałtownie rośnie, gdyż musi wytworzyć olbrzymie liście, okazały pęd i sporą liczbę niemałych kwiatów. Do tego wysiłku niezbędne są odpowiednie warunki. Najkorzystniejsze znajdzie na pryzmie starego, żyznego kompostu usytuowanej w rozproszonym świetle między wyższymi drzewami. Typując przyszłe miejsce, warto taki kompost wzbogacić domieszką gliny i obornika. Cebuli (która też osiąga imponujące rozmiary) nie sadzi się głęboko, lecz równo z poziomem gruntu. Na zimę należy zasypać grubą warstwą kory, igliwia lub bukowych liści. Po przekwitnieniu cebula (niestety) zamiera, pozostawiając 2-3 mniejsze u nasady pędu. Można je przesadzić na nowe, równie korzystne miejsce, ale one już nie osiągną parametrów cebuli matecznej, wyhodowanej z nasion. Zarówno wysokość, jak i liczba kwiatów będzie co najmniej o połowę mniejsza. Nasiona zawiązują się w walcowatych, zielonych, do 5-8 cm długości torebkach. Przy krótkiej jesieni i wczesnych przymrozkach mogą nie zdążyć dojrzeć, lecz można ściąć górną część pędu i wstawić do wody w mieszkaniu. Nasiona należy wysiać jesienią, najlepiej w plastikowej, płaskiej skrzynce w przesianą, kompostową glebę. Skrzynkę można zadołować równo z powierzchnią gruntu w ocienionym miejscu (lub inspekcie), okryć jedliną przed ptakami i... uzbroić się w cierpliwość. Nasiona bowiem wzejdą dopiero na drugą wiosnę i minie następnych kilka (ok. 8) lat, zanim znów staniemy pod liliowym „drzewem" z wysoko zadartą głową.

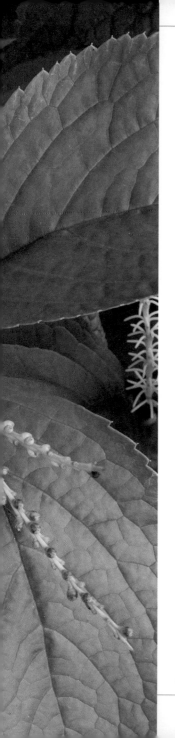

Chloranthus japonicus

Zasiedla wilgotne lasy wschodnich krańców Rosji i wysp japońskich. Zdrewniałe u podstawy, ok. 30 cm wysokie pędy opatrzone są okółkami lśniących, zielonych, ząbkowanych, do 15-18 cm długich i 5-10 cm szerokich liści. Z ich nasady od wiosny do jesieni wyrastają kłoski białych, bezpłatkowych kwiatków. Na odpowiednich stanowiskach nowe pędy i kwiatostany pojawiają się aż do przymrozków.

Rzadki gość w ogrodach, raczej cenny nabytek w bardziej zaawansowanych kolekcjach i ogrodach botanicznych. Ładnie komponuje się z paprociami, epimedium i przylaszczkami w leśnych partiach ogrodu. Wymaga próchnicznego, latem niewysychającego podłoża i rozproszonego światła. Zimuje dobrze, ale należy unikać jesiennego przesadzania. Mnożenie przeważnie z nasion, choć rozrośnięte kępy można również dzielić — najlepiej wczesną wiosną.

Chloranthus japonicus

Disporum cantoniense
Parnik

Pochodzi z przoówiotlonych lasów z zachodniej części Chin i Japonii. Z krótkich, ale grubych, pełznących kłączy wyrastają mocne, do 50-100 cm wysokie, górą rozgałęzione pędy. Liście dolne jajowate, do 10 cm długie, zaostrzone, skórzaste, podłużnie unerwione. Liście na górnych rozgałęzieniach mniejsze, krótkoogonkowe. Kwiaty zwisłe, dzwonkowate, lekko rozchylone, ok. 2,5 cm długic, białe (mogą być też czerwone), po kilka na końcach łodyg. Kwitnie od połowy wiosny. Później niewielkie, granatowoczarne jagody. Odmiana 'Night Heron' ma na wiosnę bordowo zabarwione pędy i liście. Latem liście przybierają barwę zielonkawą z fioletowym cieniem.

Rzadkość w naszych ogrodach, rarytas w zaawansowanych kolekcjach. Ozdobny z liści, kwiatów i owoców. Może rosnąć w lekkim cieniu lub świetle rozproszonym. Podłoże powinno być głęboko uprawione, próchniczne na bazie kompostu liściowego, wilgotne wiosną i latem, ale niezalewane podczas zimy. Mrozoodporność wystarczająca. Młode i sadzone jesienią rośliny należy zasypać na zimę grubą warstwą ścioły, igliwia, kory. Mnożenie z nasion, jesienią lub podział kłączy wczesną wiosną.

Disporum cantoniense 'Night Heron'
Disporum cantoniense — owoce

Glechoma hederacea
Bluszczyk kurdybanek

Gatunek jest krajowym, pospolitym chwastem występującym na obrzeżach zarośli, przydrożach, starych cmentarzach i w parkach. Zadarniająca bylina o długich, leżących, rozłogowych pędach i częściowo zimozielonych, nerkowatych, do 3 cm średnicy, karbowanych liściach. Kwiatki drobne, wargowe, lilaróżowe, po kilka w okółkach. W ogrodach uprawia się przeważnie odmianę 'Variegata' o liściach z wyraźnym białym obrzeżeniem. Znaleziony w moim ogrodzie fragment łodygi z nietypowo zabarwionymi liśćmi dał początek odmianie 'Maculata'. Liście są zielone w nieregularne, białe, kremowe i żółte plamki, cętki, smugi rozsiane na całej powierzchni blaszki. Niektóre liście są zupełnie pozbawione chlorofilu, ale wiele jest całkowicie zielonych.

Szybko rosnąca, okrywowa, pstrolistna roślina, nadająca się do zadarniania większych miejsc na obrzeżu krzewów, iglaków lub w formie zwisającej z murków, skarp. Ostre słońce może przypalać jasne fragmenty liści, więc korzystniejsze stanowisko będzie w rozproszonym świetle lub z południowym ocienieniem. Gleba nie musi być żyzna, ale pulchna, przepuszczalna i niewysychająca podczas letnich upałów. Zimuje bez problemów. Mnożenie łatwe przez podział zakorzeniających się w podłożu pędów. Należy ograniczać wzrost i liczbę pędów o jednolicie zielonych liściach, gdyż mogą z czasem zdominować cały kobierzec.

Glechoma hederacea 'Maculata'

Helleborus orientalis 1
Helleborus orientalis 2

Helleborus orientalis
Ciemiernik wschodni

Gatunek ma swoje naturalne stanowiska w pasie od Morza Śródziemnego przez Morze Czarne po Morze Kaspijskie (Grecja, Turcja, Kaukaz). Jest kępiastą, do 30-50 cm wysoką byliną o odziomkowych, dłoniasto złożonych, skórzastych, gładkich liściach. Kwiaty talerzykowate, 5-7 cm średnicy, zielonkawo-białe, różowiejące w miarę przekwitania. Kwitnie od przedwiośnia, ale przy łagodnej zimie często rozpoczyna kwitnienie w grudniu. W uprawie prawie wyłącznie mieszańce różniące się budową i barwą kwiatów, oferowane w handlu pod nazwą *H. x hybridus*. Wszystkie mają podobne zastosowanie i wymagania.

Leśne ogrody z rozproszonym przez wyższe drzewa światłem to najlepsze miejsce uprawy. Należy jednak unikać sadzenia pod drzewami o płytkim i gęstym systemie korzeniowym, jak u olszy, orzecha włoskiego, lilaków. Gleba powinna być dość żyzna, próchniczno-gliniasta, głęboko uprawiona, niezakwaszona, cały sezon dość wilgotna, ale nie mokra ani zalewana zimą. Mieszańce zimują u nas dość dobrze. Podczas wyjątkowo mroźnej, beśnieżnej i wietrznej zimy liście mogą cierpieć od niskiej temperatury i wysuszających wiatrów, szczególnie przy bezchmurnym niebie. Wystarczającym zabezpieczeniem będą gałązki jedliny. Ponieważ mieszańce nie powtarzają wiernie cech przy mnożeniu z nasion, należy wyselekcjonowane osobniki dzielić w końcowej fazie kwitnienia, przed rozwojem nowych liści. Trzeba unikać zbędnego kaleczenia korzeni. Warto też mnożyć generatywnie, z nasion. Zbiera się je sukcesywnie w miarę dojrzewania i wysiewa do pojemników zadołowanych na zimę w inspekcie. Siew świeżo zebranych nasion daje lepsze wschody, ale istnieje ryzyko, że zaczną za wcześnie kiełkować (np. w grudniu — przy dodatnich temperaturach) i siewki nie wytrzymają większych, styczniowych czy lutowych mrozów. Mieszańce łatwo się krzyżują i nawet te o zwiększonej liczbie płatków zawiązują nasiona. Można więc otrzymać potomstwo o odmiennych, często cenniejszych niż rodzicielskie cechach. O tym, że warto wysiewać, niech zaświadczą moje, wyselekcjonowane w ciągu ostatnich 10 lat formy.

Helleborus orientalis 3
Helleborus orientalis 4

Hosta
Funkia, hosta

Kilkadziesiąt gatunków funkii występuje na naturalnych stanowiskach na wschodnich krańcach Rosji i Chin, a także w Korei i na Wyspach Japońskich. Rosną przeważnie w podgórskich lasach, zaroślach, nad brzegami wód. Większość to kępiaste, mocno zakorzenione byliny o okazałych liściach i jednostronnych gronach lejkowatych kwiatów. W ogrodach rzadko uprawiane, przeważnie w kolekcjach botanicznych.

Ogrody opanowane zostały przez setki (może już tysiące) odmian i mieszańców, wyhodowanych w znacznej części w USA. Każdego roku dochodzą nowe, coraz wymyślniejsze odmiany. Większość to byliny do ogrodów leśnych i naturalistycznych, ale też na lekko ocienione rabaty, obrzeża drzew i krzewów, brzegi strumieni, rowów. Miniaturowe odmiany nadają się na wschodnie lub północne, niewysokie półki w ogrodach skalnych. Funkie wymagają żyznej, próchniczno-gliniastej, głęboko uprawionej i stale wilgotnej gleby. Stanowisko powinno być w rozproszonym świetle lub ocienione od południowej strony. Nadmiar słońca uszkadza często bezchlorofilowe części barwnych liści. Są jednak odmiany odporne na słoneczne promienie i lepiej wybarwiające się przy większej ilości światła. Ogólnie funkie są roślinami dość zmiennymi i wielkość, barwa liści uzależnione są od warunków glebowych i nasłonecznienia. Zimują bez problemów. Odmiany mnoży się przez podział wczesną wiosną, przed rozwojem

Hosta 'Ghost Spirit'

Hosta 'Hanky Panky'
Hosta 'Island Charm'

liści. Najlepiej wykopać całą karpę i podzielić na części z wyraźnym pąkiem (stożkiem wzrostu) i wiązką korzeni.

Do ciekawszych i nowszych można zaliczyć m.in.:

Hosta 'Cliford's Stingray' — średniej wielkości liście są od środka kremowobiałe, następnie ku brzegom znajdują się wąskie, jasnozielone smugi, a pozostała część blaszki jest ciemnozielona. Kwiaty lila na sztywnym pędzie. Nowość 2006 roku.

Hosta 'Color Glory' — duże, sercowate liście mają kremowożółto--seledynowe wnętrze i niebieskozielone brzegi. Kolorystyka poszczególnych liści zmienna. Niektóre mogą mieć bardziej wyeksponowany środek, inne mogą być jednolicie sinozielone. Kwiaty białe.

Hosta 'Deane's Dream' — średniej wielkości. Liście jajowate, zaostrzone, faliste, matowozielone z niebieskim nalotem. Kwiaty różowofioletowe. Jedna z ładniejszych, niebieskich.

Hosta 'Ghost Spirit' — niewielka, bardzo zmienna. Liście lancetowate, silnie faliste. Brzegi ciemnozielone, biały środek upstrzony jest zielonymi smugami, plamkami i cętkami. Nowa, oryginalna odmiana.

Hosta 'Hanky Panky' — średniej wielkości, wzniesione, szerokolancetowate, faliste liście są matowozielone — jaśniejsze od brzegów, a ciemniejsze w środkowej części. Dodatkowo dochodzą białe i żółtawe smugi umieszczone na pograniczu zielonych kolorów. Kwiaty białe, lekko zaróżowione. Nowa, poszukiwana odmiana.

Hosta 'Hyuga Urajiro' — nowa, japońska odmiana wyprowadzona od *H. kikutii*. Liście do 15-25 cm długie, lancetowate, szarozielone w niewyraźne, żółte paski, Kwiaty białe z liliowymi końcami płatków. Rarytas dla kolekcjonerów.

Hosta 'Inniswood' — dość duże, mające ponad 20 cm długości liście są lekko karbowane i żebrowane, w środku żółte z białymi prześwitami i niezbyt szerokimi, zielonymi brzegami.

Hosta 'Island Charm' — płasko rozkładające się liście są średniej wielkości, 10-12 cm długie, faliste, wewnątrz kremowobiałe, a ku brzegom jasno- i ciemnozielone.

Hosta 'June'
Hosta 'Little Jay'

Hosta 'June' — jajowate, ok. 15 cm długie liście są od brzegów niebieskozielone, a w środkowej części kremowożółto-seledynowe, ze zmiennym nasyceniem kolorów.

Hosta 'Little Jay' — nowa miniatura o lancetowatych, lekko falistych, kremowobiałych z ciemnozielonym brzegiem liściach.

Hosta montana 'Aureomarginata' — liście do 30 cm długie, wyraźnie żebrowane, szpiczaste, lśniące, ciemnozielone z żółtymi, pofalowanymi brzegami. Kwiaty w odcieniach lila. Znana, bardzo dekoracyjna.

Hosta 'Morning Light' — średniego wzrostu. Liście z żółtym, bielejącym na starszych liściach wnętrzem i zielonych (w dwóch odcieniach), nieregularnych brzegach.

Hosta 'Patriot' — liście średnio duże, do 20 cm długie, ciemnozielone z wyraźnym, szerokim, białym marginesem. Kwiaty lawendowoniebieskie. Bardzo ozdobna i ceniona odmiana.

Hosta plantaginea 'Aphrodite' — liście średnio duże, jasnozielone, błyszczące, lekko faliste. Kwiaty do 10 cm długie, białe, półpełne, pachnące. Kwitnie jesienią. Znosi większe nasłonecznienie. Rzadko spotykana u funkii pełnokwiatowa forma.

Hosta 'Praying Hands' — wzniesione do 40 cm wysoko liście są wąskie, faliste i skręcone, żebrowane, sinozielone z cienkim, żółtym brzegiem. Kwiaty lawendowe. Ciekawostka i rarytas dla kolekcjonerów. Nazwa oznacza „modlące się ręce".

Hosta 'Robert Frost' — średnio duże, szerokie, lekko pomarszczone, sinozielone liście z szerokim, nierównym, żółtym (później bielejącym) brzegiem. Kwiaty białe.

Hosta 'Tattoo' — nowość o niewielkich, jajowatych, seledynowożółtych liściach z ciemniejszym, nieregularnym rysunkiem. Intensywność barw zależy od wystawy słonecznej.

Linnaea borealis
Zimoziół północny

Krajowa, zimozielona krzewinka o ścielących się, cienkich łodyżkach i okrągłych, płytko karbowanych, osadzonych naprzeciwlegle listkach. W drugiej połowie lata wydaje drobne, zwisłe, ok. 1 cm długie, wąskodzwonkowate, jasnoróżowe kwiatki osadzone na krótkich szypułkach.

Dywanowa, zimotrwała roślina bardzo przydatna do zadarniania gleby pod i między iglakami, różanecznikami i przy kompozycjach z kamieni i korzeni. Wymaga chłodnych, półcienistych stanowisk i próchnicznej (najlepiej leśnej) kwaśnej i dość wilgotnej gleby. Na odpowiednich stanowiskach zimuje bez problemów. W bezśnieżne, wietrzne i ostre zimy warto okryć jedliną. Mnożenie najłatwiejsze przez odsadzanie ukorzenionych pędów.

Linnaea borealis

Onychium japonicum
Paznogietka japońska

Pochodzi z górskich lasów Japonii i wschodniej części Chin. Jest naziemną, do 30-40 cm wysoką paprocią o krótkich, poziomych kłączach i trzy--czterokrotnie pierzastych, pociętych na równowąskie odcinki, sinozielonych liściach. Niezwykle malownicza, „koperkowa", wyróżniająca się spośród innych paproci. Wymagania raczej typowe: ocienione stanowiska o próchnicznym, leśnym podłożu, średnio wilgotnym podczas lata i niezalewanym zimą. Mrozoodporność w zachodniej i północnej części kraju wystarczająca. W innych rejonach konieczne okrycie grubą warstwą ścioły leśnej, kory lub jedliny. Rośliny młode i po dzieleniu też należy zabezpieczyć przed mrozem. Mnożenie z zarodników (dość trudne) i przez podział rozrośniętych kęp — wiosną.

Onychium japonicum

Tricyrtis macrantha
Trójsklepka

Pochodzi z górskich, wilgotnych lasów Wysp Japońskich. Z mięsistych korzeni wyrastają do 40--80 cm długie, łukowate pędy z lancetowatymi, 10-15 cm długimi, gładkimi, ciemnozielonymi liśćmi. Podgatunek *macranthopsis* ma nieco dłuższe liście z sercowatą nasadą i długości 3-4 cm, mięsiste, dzwonkowate, żółte z bordowymi plamkami wewnątrz kwiaty osadzone w kątach liści wzdłuż łodygi. Kwitnie pod koniec lata i podczas ciepłej jesieni, aż nie nadejdą przymrozki.

Jedna z ładniejszych, odróżniająca się od innych trójsklepka, dość rzadko spotykana w kolekcjach i ogrodach. Nadaje się na cieniste, zaciszne miejsca w leśnym ogrodzie. Podłoże musi być głęboko uprawione, próchniczne na bazie kompostu liściowego, latem dość wilgotne, lecz niezalewane zimą. Zimuje dobrze, ale nie zaszkodzi okrycie warstwą igliwia lub liści — szczególnie w czasie bezśnieżnej zimy. Mnożenie przez podział wiosną.

Tricyrtis macrantha subsp. macranthopsis

Tricyrtis ohsumiensis

Również japoński, górski, do 50 cm wysoki gatunek. (Często opisywany jako podgatunek *T. flava*). Liście siedzące, do 5-10 cm długie, jajowate, zaostrzone, gładkie, jasnozielone z niewyraźnym ciemniejszym deseniem. Pod koniec lata i jesienią na szczytach łodyg i na bocznych, wyrastających z kątów górnych liści, krótkich pędach pojawiają się szerokodzwonkowate, mające 4-6 cm średnicy, żółte w drobne, brązowe kropki kwiaty.

Z kształtu kwiatów również dość nietypowy gatunek dla tego rodzaju. Duże, szeroko otwarte dzwonki odróżniają go od znanych gatunków *T. hirta*, *T. latifolia*, *T. formosana*. Wymagania i zastosowanie jak innych trójsklepek. Leśne, cieniste ogrody i próchniczne, dość wilgotne podłoże — to jest to, czego potrzebuje przede wszystkim. Zimy z temperaturą do −15°C znosi bez zabezpieczania. Krótkie, grube, rozłogowe korzenie można rozdzielać i przesadzać na nowe miejsce wiosną.

Tricyrtis ohsumiensis

Vinca maior
Barwinek większy

Śródziemnomorska, zimozielona krzewinka o leżących lub lekko wzniesionych, cienkich, przyrastających do podłoża pędach. Liście jajowate, 5-9 cm długie, ciemnozielone. Odmiana 'Variegata' ma liście z kremowymi smugami na obrzeżach. Kwiaty płaskie, do 5 cm średnicy, niebieskofioletowe, pojawiają się nieregularnie przez cały sezon.

Jedna z ciekawszych, barwna, zimozielona, okrywowa roślina, przydatna do zadarniania skarp, obrzeży krzewów, iglaków i trudnych miejsc pod okapem drzew. Znosi ocienienie i różne rodzaje gleb z wyjątkiem jałowych i suchych. Na żyźniejszych i jaśniejszych stanowiskach obficiej kwitnie. Mrozoodporność wystarczająca, ale mroźne wiatry w beśnieżne zimy mogą powodować zamieranie wyżej wzniesionych pędów. Mnożenie łatwe przez sadzonkowanie krótkopędów lub odcinanie zakorzenionych fragmentów.

*Vinca maio*r 'Variegata'

Vinca minor
Barwinek mniejszy

Gatunek występuje w Europie, a na wschód przez Ukrainę po Kaukaz. Płożąca krzewinka o cienkich, rozgałęzionych, przyrastających do podłoża pędach i jajowatych, lancetowatych, do 2,5-4 cm długości liściach. Nowo wprowadzona na nasz rynek, a wyhodowana w USA odmiana 'Illumination' ma skórzaste, lśniące, złocistożółte liście z nierównym ciemnozielonym obrzeżeniem. Kontrast barw widoczny szczególnie na młodych liściach. Starsze nieco bledną. Zdarzają się też pędy z liśćmi zupełnie zielonymi — te należy sukcesywnie wycinać. Kwiaty niebieskie, 2-3 cm średnicy, od wiosny do jesieni.

Bardzo efektowna, medalowa odmiana, godna wyeksponowanego miejsca w ogrodzie. Ładnie prezentuje się na ciemnym tle iglaków lub przed większymi głazami. Dobrze rośnie na próchnicznym, umiarkowanie wilgotnym podłożu i znosi pełne nasłonecznienie. Na zimę nie zaszkodzi osłona z jedliny. Mnożenie jak V. maior.

Vinca minor 'Illumination'

Ogrody naturalistyczne

*O*GRODY NATURALISTYCZNE czy działki ekologiczne są u naszych zachodnich sąsiadów dość powszechne, modne i poważane. U nas słyszy się często opinie, że są to ogrody dla leniwych. Często jednak taki charakter ogrodu wymusza samo życie. Obarczeni pracą, rodziną i położoną daleko od domu działką możemy poświęcić jej tylko kilka godzin w co któryś weekend. Z konieczności więc prace ograniczają się do najpilniejszych. Wykaszanie najwyższych chwastów, przycinanie nadmiernie rozrośniętych krzewów, żywopłotów, uszkodzonych gałęzi drzew, naprawa altanki. Wiosną więcej jest prac porządkowych. Chętniej też wtedy sadzimy nowe rośliny. W zależności od naturalnej żyzności i wilgotności podłoża można wzbogacać naturalną florę hodowlanymi gatunkami i odmianami. Na miejsca mocno zachwaszczone staramy się wprowadzać rośliny wyższe i szybko rosnące, które nie dadzą się zagłuszyć dzikusom. Ważne, by nowych lokatorów cechowała też żywotność, odporność na mróz i okresowe niedostatki wilgoci.

Kompleks przyrodniczy — z szeroką ekspozycją naturalnego piękna lasu i przyrody — NA BOBROWYM SZLAKU, Nadleśnictwo Rzepin (s. 304-305)

Artystyczny nieład — typowy dla założeń naturalistycznych — ogródki działkowe w Głogowie

Agastache foeniculum
Kłosowiec fenkułowy

Północnoamerykańska bylina o rozkrzewionych, sztywnych, często ponad 1 m wysokich pędach i zielonych, jaśniejszych od spodu, pachnących anyżem liściach. Gęste, do 5-8 cm długie, wałeczkowate, niebieskofioletowe kłosy pojawiają się od połowy lata. Odmiana 'Alabaster' ma kwiaty białe. Odmiana 'Golden Jubilee' ma żółte ulistnienie, szczególnie intensywne wiosną.

Aromatyczna, prosta w uprawie i niewymagająca bylina nadająca się na słoneczne skarpy, suche łąki i ziołorośla. Lubi słońce i lekką, przepuszczalną, raczej suchą glebę. Zimuje dobrze. Mnożyć można z wiosennego wysiewu nasion, letniego sadzonkowania niekwitnących pędów lub przez podział wczesną wiosną.

Agastache foeniculum 'Alabaster'
Agastache foeniculum 'Golden Jubilee'

Armeria pseudoarmeria
Zawciąg szerokolistny

Pochodzi z wybrzeży środkowej części Portugalii. Z grubego, zdrewniałego korzenia wyrastają odziomkowe, lancetowate, ok. 2 cm szerokie i do 20 cm długie, gładkie liście. Na przełomie wiosny i lata wyrastają bezlistne, mające 30- -50 cm wysokie pędy zakończone białymi lub lilaróżowymi, o 2-4 cm średnicy główkami. Kwiaty nadają się do zasuszania.

Skromna, lecz uprawiana w większej grupie, zauważalna i przydatna do założeń typu step, sucha łąka. Ładnie prezentuje się na niewysokich stokach w kompozycji z trawami, chabrami, makami, margerytkami. Zadowala się przeciętnie żyzną i umiarkowanie wilgotną glebą. Nadmiar wilgoci przy mało przepuszczalnym podłożu obniża mrozoodporność roślin. Rozmnażanie przez wysiew nasion wczesną wiosną. Większe, rozrośnięte kępy można dzielić, lecz jest to utrudnione przez grube korzenie.

Armeria pseudoarmeria

Aster ericoides
Aster wrzosolistny

Gatunek rozpowszechniony w USA i Kanadzie. Bylina o rozgałęzionych, mających ok. 1 m wysokości, ale niezbyt sztywnych pędach. Liście lancetowate, na 5-7 cm długie, siedzące. Pod koniec lata rozwijają się luźne wiechy drobnych, do 1 cm średnicy koszyczków. Mogą być białe, lila lub w odcieniach różu. Kwitnienie trwa do przymrozków.

Wdzięczna, późnojesienna, obficie kwitnąca i prosta w uprawie bylina. Przydatna na skarpy, wzniesienia o południowej wystawie i lekkiej, niezbyt żyznej, raczej suchej glebie. Zimuje bez zastrzeżeń. Mnożenie łatwe przez podział większych kęp wiosną.

Aster ericoides

Boehmeria platanifolia

Rozłożysta, do 1,5 m wysoka bylina pochodząca z Japonii i Korei, gdzie jest wykorzystywana także w medycynie ludowej i do produkcji tkanin oraz celulozy. Ozdobna dzięki dużym (dolne do 20 cm średnicy), okrągłym w zarysie, omszonym liściom. Są one ząbkowane z kilkoma większymi wcięciami na czubku liścia. Łodygi i ogonki liściowe podbarwione czerwienią. Kwiaty niepozorne, białawe, zebrane w zwisłe, nitkowate kłoski. Kwitnie latem. Jesienią, po kilku chłodniejszych nocach, na liściach pojawiają się fioletowe przebarwienia.

Oryginalna, malownicza roślina warta wyeksponowania na tle iglaków lub krzewów o ciemnej zieleni liści. Może rosnąć w słońcu lub lekkim ocienieniu. Gleba powinna być przepuszczalna, lekka, umiarkowanie wilgotna w sezonie i niezalewana w okresie spoczynku. Zimuje dobrze, lecz należy unikać jesiennego przesadzania, dzielenia. Mnożenie wiosną, przez odcinanie posiadających korzenie łodyg po obwodzie kępy. Z nasion możliwe, lecz dość żmudne i nie zawsze można zdobyć zdolne do kiełkowania.

Boehmeria platanifolia
Boehmeria platanifolia — jesienią

Boehmeria tricuspis

Występuje na terenie Chin i Japonii w podgórskich zaroślach, lasach i na brzegach strumieni. Cienkie, rozgałęzione, pochylające się, zaczerwienione pędy dorastają do 80-150 cm wysokości. Liście dolne nierówno klapowane i ząbkowane, do 10 cm długie. Im wyżej, tym liście mniejsze, przeważnie bez klap, ale ząbkowane i z wyraźnie wydłużonym czubkiem. Kwiatostany nitkowate, białawozielone, później czerwonawe w kątach górnych liści. Równie atrakcyjna jak poprzednia, z podobnym zastosowaniem i warunkami uprawy.

Boehmeria tricuspis

Carlina biebersteinii
Dziewięćsił Biebersztajna

Naturalne stanowiska rozciągają się od europejskiej części Kaukazu po Syberię. Roślina dwuletnia. W pierwszym roku wyrasta gęsta kępa, rozetowo osadzonych, lancetowatych, kolczastych, do 15 cm długich i 1-2 cm szerokich liści. Po przezimowaniu ze środka rozety wyrasta sztywna, do 90 cm wysoka łodyga z mniejszymi, siedzącymi liśćmi, a dolne liście zasychają. Rozgałęzienia łodygi zwieńczone są żółtymi, mającymi 3-5 cm średnicy koszyczkami. Kwitnie latem. Nadaje się do zasuszania, barwione koszyczki są cennym materiałem w bukieciarstwie.

Nietrwała, ale samorozsiewająca się roślina, bardzo przydatna na suche, jałowe skarpy, pagórki, obrzeża drzew. Lubi słoneczną wystawę, lecz znosi także niewielkie ocienienie. Obficie pojawiający się samosiew można przerywać lub przepikowywać na inne miejsca. Zimuje bez problemów.

Carlina biebersteinii

Cassia hebecarpa
Strączyniec

Występuje na naturalnych stanowiskach we wschodnich stanach USA. Jest okazałą, rozłożystą, do 2 m wysoką byliną o mocnych, drewniejących u podstawy pędach. Liście pierzaste złożone z eliptycznych, sinych listków. Od połowy lata z kątów liści w górnej części rozgałęzionych łodyg wyrastają grona żółtych, mających ok. 2 cm średnicy kwiatków.

Przyciągający uwagę gigant nadający się do uprawy w naszym klimacie. Potrzebuje słońca i sporo miejsca, ale gleba może być dość lekka, piaszczysta i nie za wilgotna. Młodą roślinę, szczególnie sadzoną jesienią, należy zabezpieczyć na pierwszą zimę przed mrozem. Wystarczy podsypanie korą lub kompostem. Dobrze zakorzenione okazy nie boją się mrozu ani konkurencji sąsiadujących roślin. Mnożenie przez podział dość kłopotliwe, gdyż zdrewniałą karpę trudno pociąć łopatą i najczęściej niezbędna okazuje się siekiera oraz mocne ręce. Gdy zdarzy się długa i ciepła (bez przymrozków) jesień, można liczyć na nasiona, które znajdziemy w wąskich, długich na 7-10 cm strączkach.

Cassia hebecarpa

Crambe maritima
Modrak morski

Występuje na wysokich, morskich brzegach Europy Północnej, Zachodniej i nad Morzem Czarnym. Jest kępiastą byliną o grubych korzeniach i sztywnych, rozgałęzionych, do 50-70 cm wysokich pędach. Liście głęboko klapowane, faliste, ząbkowane, pokryte niebieskim nalotem. Na początku lata rozwijają się szczytowe, rozłożyste grona złożone z drobnych, białych, pachnących kwiatków.

Oryginalna „kapusta morska", ozdobna z liści i chętnie odwiedzanych przez pszczoły kwiatów. Dobrze rośnie na żyźniejszym, próchnicznym podłożu, ale dość łatwo przystosowuje się do uboższej i suchszej gleby. Stanowisko powinno być słoneczne dla zachowania odpowiedniej barwy liści. Zimuje bez problemów. Mnożenie przeważnie z nasion wysiewanych jesienią do doniczek. Młode rośliny źle znoszą uszkadzanie korzeni, stąd wskazana wstępna uprawa w doniczkach i przesadzanie z bryłką.

Crambe maritima

Dianthus superbus
Goździk pyszny

Naturalne stanowiska w środkowej części Europy i dalej na wschód aż po Syberię. Kępki sino-zielonych, lancetowatych, siedzących, zrośniętych naprzeciwlegle parami liści. Słabo rozgałęzione, cienkie, 40-80 cm długości pędy kończą się luźnymi kwiatostanami. Kwiaty duże, do 6 cm średnicy, o postrzępionych na równowąskie łatki płatkach, przyjemnie pachnące. Kwiaty mogą być białe, lila lub w odcieniach różu. Kwitnie latem. Objęty ochroną gatunkową, dość jeszcze powszechny w Polsce, szczególnie na niżu — na wilgotnych i mokrych łąkach, torfowiskach, polanach.

W ogrodzie naturalistycznym może być ciekawym akcentem wśród ostróżek, naparstnic, łubinów. Dobrze rośnie na próchnicznym i w sezonie dość wilgotnym podłożu — zarówno na kwaśnym, jak i wapiennym. Zimotrwałość duża, ale starsze okazy są mniej żywotne. Łatwo się jednak obsiewa i wystarczy przerzedzać lub rozsadzać samosiew.

Dianthus superbus

Eupatorium cannabinum
Sadziec konopiasty

Gatunek pospolity w Europie, również w Polsce — na wilgotnych łąkach, w rowach, zaroślach. Pędy do 1,5 m wysokie, rozgałęzione z krótko-ogonkowymi, trójdzielnymi, klapowanymi i ząbkowanymi liśćmi. Odmiana 'Variegatum' ma liście z nierównym, wąskim, białym obrzeżeniem. Na przełomie lata i jesieni zakwita szczytowymi, mającymi ok. 10 cm średnicy baldachogronami niewielkich, różowych, rurkowatych kwiatków.

Gatunek jest pospolitym chwastem, lecz pstrolistna odmiana warta jest miejsca w naturalistycznym ogrodzie. Pod warunkiem oczywiście, że miejsce to jest nasłonecznione, a gleba dość żyzna i cały sezon wilgotna. Rozmnożyć ją można przez podział bryły korzeniowej wiosną lub letnie ukorzenianie wierzchołkowych odcinków niekwitnących pędów.

Eupatorium cannabinum 'Variegatum'

Eupatorium purpureum
Sadziec purpurowy

Występuje na łąkach i obrzeżach lasów wzdłuż wschodniego wybrzeża Ameryki Północnej. Z mocnej karpy wyrastają wysokie na ponad 2 m, proste, podbarwione purpurą pędy z okółkami szorstkich, lancetowatych, ząbkowanych, do 25 cm długich liści. Latem i wczesną jesienią rozwijają się szczytowe, do 30 cm średnicy baldachogrona złożone z drobnych różowopurpurowych koszyczków.

Okazała, żywotna roślina, przydatna na brzegi rowów, rzek i obniżenia terenu o dość żyznej, alkalicznej, stale wilgotnej glebie. Kwiaty są atrakcyjne dla pszczół i innych błonkówek. Mrozoodporność bez zastrzeżeń. Mnożenie przez podział karpy korzeniowej wczesną wiosną lub wysiew nasion. Daje również samosiew. Siewki w różnym stopniu powtarzają cechy (intensywność barwy) rośliny matecznej.

Eupatorium purpureum

Fritillaria meleagris
Szachownica kostkowata

Naturalne stanowiska rozrzucone w Europie Środkowej, przez Polskę i na wschód przez europejską część Rosji. Roślina cebulowa o cienkich, do 20-50 cm wysokich łodygach z równowąskimi, rynienkowatymi liśćmi. Kwiaty pojedyncze lub po 2 (rzadko 3), szerokodzwonkowate, na 3-5 cm długie, różowokarminowe w ciemniejszą kratkę. W większych populacjach zdarzają się osobniki o kwiatach w różnych odcieniach lub białe. Kwitnie w kwietniu i maju.

W naturze występuje na wilgotnych, a nawet okresowo zalewanych łąkach, więc może być ciekawym uzupełnieniem nasadzeń w obniżeniach terenu, nad brzegami wód i błot. Najlepiej rośnie na czarnych, łąkowych, wilgotnych ziemiach, ale jest dość tolerancyjna co do odczynu i wilgotności podłoża. Rozsiewa się sama i często w zupełnie nietypowych miejscach — na skalniaku, wśród krzewów, pod drzewami. Całkowicie mrozoodporna i trwała. Może na jednym stanowisku rosnąć wiele lat bez konieczności przesadzania. Białe, kuliste, mające 2-4 cm średnicy cebule można przesadzać w fazie zasychania liści i torebek nasiennych. Nasiona wysiewa się przed zimą. Siewki osiągają zdolność kwitnienia po 4-5 latach.

Fritillaria meleagris

Galega officinalis
Rutwica lekarska

Występuje na łąkach środkowej i południowej Europy oraz w Azji Mniejszej. Wysoka do 1 m bylina o cienkich, niezbyt sztywnych, splątanych pędach i pierzastych liściach złożonych z 4-8 par lancetowatych, do 5 cm długich listków. Odmiana 'Coconut Ice' ma dwubarwne, kremowo-zielone liście. Przez całe lato pojawiają się motylkowate, liliowe kwiatki zebrane w długich gronach.

Ładna, barwna bylina, przydatna przy zagospodarowaniu miejsc między krzewami, na obrzeżach drzew i przy płotach. Odpowiadają jej stanowiska w rozproszonym świetle lub z południowym ocienieniem. Zadowoli się każdą, przeciętnie żyzną, ale dość wilgotną glebą. Mrozoodporność zupełna. Rozmnażanie przez podział i ukorzenianie płonnych pędów.

Galega officinalis 'Coconut Ice'

Geranium
Bodziszek

Kilkaset gatunków ma swoje stanowiska w całej strefie klimatu umiarkowanego, zasiedlając wszystkie możliwe siedliska z wyjątkiem bagiennych. Trudno więc przypisać ten rodzaj do konkretnego działu książki, gdyż łatwo w nim znaleźć gatunki pasujące do każdego. Wiele nadaje się do ogrodów naturalistycznych, ponieważ są trwałe, niewybredne i nie wymagają wiele pracy. Może nie są zbyt efektowne z kwiatów, ale nadrabiają to bujnym wzrostem i żywotnością w nie zawsze najkorzystniejszych warunkach. Wiele gatunków jest tolerancyjnych co do zapotrzebowania na światło i wykorzystuje się je do zadarniania miejsc pod drzewami. Inne rozrastają się ekspansywnie, nie dopuszczając do rozwoju chwastów. W każdym ogrodzie na pewno znajdzie się odpowiednie miejsce do uprawy bodziszków.

W moim nie ma ich zbyt wiele, ale dla ozdobnych z liści, takich jak przedstawione poniżej, zawsze jest zarezerwowane miejsce.

Geranium macrorrhizum 'Variegatum' (bodziszek korzeniasty) — kępiasty, do 50 cm wysoki. Odmiana o aromatycznych, klapowanych liściach w jaśniejsze i ciemnozielone desenie oraz z białymi, kremowymi i różowymi smugami, naciekami, brzegami. Kwiaty niewielkie, do 2-3 cm średnicy, różowe — od początku lata.

Geranium macrorrhizum 'Variegatum'

Geranium phaeum 'Margaret Wilson'
Geranium phaeum 'Samobor'

Geranium pratense 'Dark Reiter'

Geranium phaeum 'Margaret Wilson' (bodziszek żałobny) — odmiana o bardzo dekoracyjnych, w marmurkowy deseń, kremowo-zielonych liściach. Kwiatki różowofioletowe od kwietnia do lipca.

Geranium phaeum 'Samobor' — wysoka do 80 cm odmiana o dużych, zielonych z bordowofioletowym, szerokim pierścieniem liściach. Kwiaty mają 2-3 cm średnicy, ciemnofioletowe.

Geranium pratense 'Dark Reiter' (bodziszek łąkowy) — niższa (30-
-40 cm) bardziej zwarta odmiana, o mocno klapowanych liściach, które są początkowo bardzo ciemne, brązowofioletowe, później nieco zielenieją. Kwiaty mają 2,5-3,5 cm średnicy, niebieskie, rozwijają się przez całe lato.

Barwnolistne bodziszki wymagają stanowisk w rozproszonym świetle lub ocienionych od południa. Pełny cień spowoduje odbarwienie liści. Dobrze rosną na każdej, przeciętnie żyznej, ale dość wilgotnej glebie. Nie wymarzają. Mnożenie odmian przez podział. Z nasion częściowo powtarzają cechy. Wokół roślin matecznych warto wstrzymać się z mechanicznym odchwaszczaniem do czasu, aż będzie można przeprowadzić selekcję wśród samosiejek.

Gladiolus imbricatus
Mieczyk dachówkowaty

Krajowy, chroniony, występujący w większych populacjach na południowych wyżynach i pogórzu. Z kulistej, mającej ok. 2 cm średnicy bulwy wyrasta do 1 m wysokości pęd z 2-4, pochwiastymi, szablastymi, do 2 cm szerokimi liśćmi. Latem (lipiec-sierpień) wyrasta jednostronny kwiatostan z 7-15, grzbiecistymi, na 3-4 cm długimi, różowo-karminowymi kwiatami. Dolne płatki są ciemniejsze, z białymi smugami. Bardzo rzadka, pełnokwiatowa odmiana 'Plenus' ma kwiaty ciemniejsze i o zwiększonej ilości płatków.

Delikatnej budowy, ale szlachetnego pokroju. Większe skupiska mogą być zjawiskiem przemawiającym do najbardziej nawet niewrażliwych obserwatorów. Jest przy tym rośliną o skromnych wymaganiach i zupełnie mrozoodporną. Dobrze czuje się na różnych rodzajach gleb: piaszczysto-gliniastych, lessowych, brunatnych, czarnoziemach łąkowych. W ogrodzie zaakceptuje każdą, przeciętnie żyzną, byle nie za suchą, najlepiej obojętną lub lekko kwaśną glebę. Stanowisko powinno być słoneczne. Rozsiewa się sam lub można mu dopomóc, wysiewając świeże nasiona w wybranym miejscu lub do doniczek zadołowanych na zimę w gruncie.

Gladiolus imbricatus
Gladiolus imbricatus 'Plenus'

Helianthus x laetiflorus
Słonecznik jaskrawy

Mieszaniec dwóch gatunków (*H. pauciflorus x H. tuberosus*) występujących na północnoamerykańskich preriach. Jest silną, do 1,5-2 m wysoką byliną o sztywnych, szorstkich łodygach i jajowatych, ząbkowanych, do 15-20 cm długich liściach. Latem, aż do przymrozków, rozwijają się złotożółte, o średnicy do 12 cm koszyczki. Odmiana 'Morning Sun' ma „anemonowe" koszyczki z wianuszkiem płatków i środkiem wypełnionym kwiatkami rurkowatymi.

Żywotna, silnie rosnąca i rozrastająca się rozłogami bylina, idealna do rzadko odwiedzanych ogrodów, gdzie może się swobodnie rozrastać. Może być zauważalnym akcentem jako soliter wśród niższych roślin (chwastów) lub pod ścianą, płotem. Zadowoli się każdym słonecznym stanowiskiem i nawet dość jałową, suchą, byle niezakwaszoną glebą. Zimuje bez problemów. Rozmnażanie przez podział na wiosnę.

Helianthus 'Morning Sun'

Helianthus x multiflorus

Mieszaniec północnoamerykańskich słoneczników: *H. decapetalus* x *H. annuus*, przewyższający oboje rodziców walorami ozdobnymi. Jego ogrodowa odmiana 'Loddon Gold' tworzy okazałe, do 1,5 m wysokie kępy. Łodygi proste, rozgałęzione. Liście jajowate, 10-15 cm długie, ciemnozielone. Koszyczki średnicy do 12 cm, pełne. Kwitnie całe lato.

Równie malowniczy, co poprzedni, przydatny do kolorystycznych zestawień, np. z niebieskimi ostróżkami, czerwonymi floksami, mikołajkami. Nie ma wielkich wymagań. Słoneczne stanowisko i przeciętnie żyzna, umiarkowanie wilgotna, alkaliczna gleba w zupełności wystarczy do prawidłowego rozwoju. Zimuje dobrze. Wczesną wiosną co kilka lat wskazane jest przycięcie szybko rozrastającej się rozłogami bryły korzeniowej. Warto przy okazji wymienić część gleby na żyźniejszą lub przesadzić część karpy na nowe miejsce.

Helianthus 'Loddon Gold'

Knautia macedonica
Świerzbnica macedońska

Bałkańska bylina o wzniesionych, do 1 m wysokich, rozgałęzionych pędach. Odziomkowe liście na 10-20 cm długie, łopatkowate, klapowane. Im wyżej, tym liście mniejsze, lancetowate i prawie całobrzegie. Od połowy lata rozwijają się płaskie, karminowe, mające ok. 3 cm średnicy koszyczki.

Skromna, lecz kolorem kwiatów przyciągająca wzrok, przydatna jako wyrazisty dodatek do roślinności łąkowej lub urozmaicenie zielonego tła niewysokich krzewów. Lubi słońce i wapienną, przepuszczalną, umiarkowanie wilgotną glebę. Młode rośliny zimują dobrze. Starsze są mniej żywotne. Materiał sadzeniowy uzyskuje się przeważnie z nasion wysiewanych wiosną w chłodnym inspekcie.

Knautia macedonica

345

Ligularia hodgsonii

Japońska, kępiasta bylina o odziomkowych, długoogonkowych, nerkowatych, ząbkowanych liściach. Pierwsze liście mają do 30 cm średnicy, późniejsze znacznie mniej. Od połowy lata na zaczerwienionych, do 1 m wysokich pędach rozwijają się płaskie baldachogrona złożone z pomarańczowożółtych z ciemnymi środkami, mających do 5 cm średnicy koszyczków.

Dość rzadko uprawiana w ogrodach, warta szerszego rozpowszechnienia. Zdrowo rosnące i obficie kwitnące kępy mogą być ozdobą każdego ogrodu. Jak wszystkie języczki potrzebuje żyznej, próchnicznej i niewysychającej latem gleby. Mrozoodporność wystarczająca. Rozmnażanie przez wysiew nasion wczesną wiosną lub podział starszych kęp, także wiosną.

Ligularia hodgsonii

Ligularia x hessei
Języczka Hessego

Mieszaniec *L. dentata* x *L. wilsoniana* wyróżniający się szczególnie bujnym wzrostem i obfitym kwitnieniem. Na odpowiednich stanowiskach łodygi przekraczają wysokość 2 m, a odziomkowe, długoogonkowe, sercowate liście mogą osiągać średnicę do 60 cm. Okazałe, cylindryczne kwiatostany złożone z licznych, mocno żółtych, mających 6-8 cm średnicy kwiatów rozkwitają w drugiej połowie lata. Jesienią liście podbarwiają się żółtym i czerwonym kolorem.

Bardzo dekoracyjna, szczególnie w soliterowych kępach wśród niższych roślin lub na tle ściany, płotu. Wymaga żyznej, próchnicznej, głęboko uprawionej, stale wilgotnej gleby. Przy niedostatku wilgoci korzystniej ją sadzić w półcieniu, gdyż w słońcu liście więdną i roślina słabo kwitnie. Zimuje bez problemów. Odmiana sterylna nie zawiązuje nasion, więc mnożenie tylko przez podział (dość trudne), wczesną wiosną, jak tylko liście rozpoczną wzrost.

Ligularia x hessei

Linum flavum
Len złocisty

Naturalne stanowiska w środkowej i południowej Europie, u nas rzadkie — na Lubelszczyźnie i w Małopolsce. Bylina do 30-50 cm wysoka, o dolnych liściach siedzących i łopatkowatych, a wyższych lancetowatych, zaostrzonych. Łodygi u podstawy drewniejące, górą rozgałęzione, zwieńczone szczytowymi wierzchotkami z żółtymi, mającymi 2-3 cm średnicy, otwartymi podczas słonecznej pogody kwiatkami. Kwitnie latem.

Wyrazista i długo kwitnąca bylina, szczególnie malownicza w zestawieniu z niebiesko kwitnącym lnem trwałym (*Linum perenne*) i szałwiami. Wymaga ciepłego, słonecznego stanowiska (najlepiej na stoku, wzniesieniu) i lekkiej, alkalicznej, niezamakającej zimą gleby. Zimuje dobrze, ale nie jest rośliną długowieczną i stale trzeba dosadzać młode egzemplarze. Nasiona lepiej kiełkują po przemrożeniu.

Linum flavum

Miscanthus sinensis
Miskant chiński

Pochodzi z południowo-wschodniej części Chin i Japonii. Mocna, trzcinowata, kępiasta, do 2 m wysoka trawa o równowąskich, 2-3 cm szerokich liściach i wiechowatych, do 40 cm długich kwiatostanach złożonych z miękko owłosionych kłosków. Kwitnie jesienią. W uprawie kilkadziesiąt odmian różniących się (czasami nieznacznie) wysokością i barwą liści.

Miskanty sadzi się na większych rabatach, pod ścianami i płotami, soliterowo na trawnikach, wrzosowiskach i nad brzegami zbiorników wodnych. W ogrodach naturalistycznych powinny się znaleźć z racji niewielkich wymagań i żywotności. Potrzebują stanowisk w pełnym słońcu i lekkiej, przepuszczalnej, próchnicznej, umiarkowanie wilgotnej gleby. Większe, rozrośnięte kępy są ozdobne nie tylko podczas wzrostu i kwitnienia, ale także jesienią i zimą. Liście niektórych odmian przebarwiają się pod koniec sezonu na beżowo i rudoczerwono, a puszyste wiechy są ozdobne nawet na tle śniegu. Miskanty sadzi się, a także wykopuje w celu rozmnożenia wyłącznie wiosną, w chwili rozpoczęcia wegetacji. Bryła korzeniowa jest bardzo trudna do podziału i często robi się to za pomocą siekiery. Młode rośliny na pierwszą zimę można podsypać kopczykiem kory lub kompostu.

Na naszym rynku dostępne są m.in.:

'Cabaret' — liście do 3 cm szerokie, wewnątrz białe z ciemnozielonymi brzegami.

'Cosmopolitan' — liście do 3 cm szerokie, ciemnozielone z białymi brzegami.

'Flamingo' — ozdobny z różowobordowej barwy kwiatostanów.

'Ghana' — liście pod koniec lata przebarwiają się w ceglaste i czerwone odcienie.

'Giraffe' — liście malowniczo przewieszające się, w szerokie, poprzeczne, żółte paski.

Miscanthus 'Cabaret'

Miscanthus 'Ghana'

Miscanthus 'Giraffe'

'Goldfeder' — liście w podłużne, żółte paski. Rzadko spotykana odmiana.

'Little Zebra' — do 1,2 m wysokości. Liście wąskie w kremowe, poprzeczne paski.

'Malepartus' — wysoki na ponad 2 m. Wiechy najpierw bordowe, później srebrzyste. Jedna z ładniejszych odmian.

'Puenktchen' — liście lekko przewieszające się z nielicznymi, kremowymi, poprzecznymi paskami.

'Strictus' — liście sztywne, wzniesione, w poprzeczne żółte paski.

'Variegatus' — liście na ok. 2 cm szerokie w podłużne, kremowobiałe o różnej szerokości paski. Łodygi niezbyt sztywne.

'Yakushima Dwarf' (Yaku Jima) — karłowy (80-100 cm), zwarty pokrój, wąskie liście.

Miscanthus 'Malepartus' — jesienią

Phytolacca americana
Szkarłatka amerykańska

Występuje na wschodnim wybrzeżu Ameryki Północnej. Mocne, rozgałęzione, czerwono poplamione pędy osiągają w dobrych warunkach wysokość do 4 m. W naszych ogrodach przeważnie do 2 m. Liście jajowate, do 30 cm długie, im dalej od głównego pędu, tym mniejsze i węższe. Odmiana 'Silberstein' ma liście w marmurkowy, zielono-żółty deseń. Kwiatki niewielkie, do 5--8 mm średnicy, białe, w 15-20-centymetrowych gronach. Po przekwitnieniu zawiązują się soczyste, czarne jagody — niejadalne, lecz używane kiedyś do barwienia win.

Pstrolistna, dekoracyjna bylina dająca zauważalny akcent w ogrodzie. Wymaga lekko ocienionego stanowiska i (z powodu mięsistych, długich korzeni) głęboko uprawionej, próchnicznej, latem wilgotnej gleby. Wytrzymałość na mróz wystarczająca, ale nie zaszkodzi okopcowanie bryły korzeniowej. Rozmnażanie z nasion i późniejsza selekcja młodych roślin, gdyż niecała populacja będzie miała barwne liście.

Phytolacca americana 'Silberstein'

Polygonatum giganteum
(P. biflorum)
Kokoryczka dwukwiatowa

Pochodzi z południa Kanady i wschodnich stanów USA. Bylina o grubych, poziomych kłączach, z których wyrastają do 2 m wysokie, łukowato wygięte, nierozgałęzione pędy. Liście szerokolancetowate, na 10-18 cm długie, gładkie. W maju--czerwcu w kątach liści pojawiają się po 2-4, zwisłe, rurkowate, zielonkawobiałe, ok. 2 cm długie kwiatki. Po nich kuliste, mające 5-8 mm średnicy, czarne jagody.

Zgodnie z nazwą gigantyczna roślina, wyróżniająca się na tle innych z tego rodzaju. Nadaje się na stanowiska w rozproszonym świetle, między wyższymi drzewami — ale nie pod okapem koron. Dobrze rośnie na próchnicznej, dość żyznej i niewysychającej latem glebie. Zimuje bez problemów. Mnożenie przez jesienny wysiew nasion lub podział kłączy wiosną.

Polygonatum giganteum

Polygonum affine
Rdest pokrewny

Azjatycka (Himalaje), kobiercowa bylina o cienkich, leżących, silnie rozgałęzionych, przyrastających do podłoża pędach. Liście łopatkowate lub eliptyczne, ciemnozielone, jesienią brązowiejące. Kłosowate, na 5-10 cm długie kwiatostany pojawiają się od połowy lata do złotej jesieni. Odmiana 'Superba' ma kłosy różowe, w miarę przekwitania ciemniejące do karminu, a na zimę przybierające brązową barwę.

Na odpowiednich stanowiskach dość szybko rozrastająca się w szerokie poduchy lub gęste kobierce. Może być przydatna na obrzeża drzew, przedmurza i wzdłuż ścieżek. Dobrze czuje się na lekko od południa ocienionych stanowiskach i na każdej przepuszczalnej, dość wilgotnej glebie. Zimuje dobrze, ale mroźne wiatry przy braku okrywy śnieżnej mogą powodować zamieranie pędów. Jako osłona wystarczą gałązki jedliny. Mnożenie łatwe przez podział zakorzenionych odcinków łodyg.

Polygonum affine 'Superba'

Polygonum bistorta
Rdest wężownik

Gatunek rozpowszechniony w Europie i Azji. Występuje na łąkach, polanach, nad wodami, w przydrożnych rowach. Kępiasta bylina o silnych korzeniach i do 30-100 cm wysokich pędach. Liście dolne na 20-centymetrowych ogonkach, do 25 cm długie, jajowate lub jajowato-lancetowate, z lekko falistym brzegiem, z wierzchu zielone, a od spodu szare. Liście łodygowe, mniejsze, lancetowate, siedzące. Szczytowe kwiatostany są wałeczkowate, do 1 cm grube i do 8 cm długie. Odmiana 'Superba' ma gęste, jasnoróżowe kwiatostany. Kwitnie długo (lipiec-sierpień) i obficie.

Roślina kojarzona z łąkowym środowiskiem, może być cennym uzupełnieniem w naturalistycznych założeniach nad brzegami wód, w zagłębieniach terenu, na mniej lub bardziej dzikich łąkach. Toleruje każdą, byle dość wilgotną glebę i słoneczną wystawę. Mrozoodporność bez zastrzeżeń. Mnożenie odmiany przez podział wczesną wiosną.

Polygonum bistorta 'Superba'

Reynoutria sachalinensis
Rdestowiec sachaliński

Pochodząca z wysp Azji Wschodniej (Kuryle, Sachalin), okazała, ekspansywna bylina rzadko jest sadzona w przydomowych ogrodach. Odmiana 'Variegata' godna jest jednak miana rośliny ozdobnej i miejsca w większych, naturalistycznych założeniach. Pędy mocne, do 2 m wysokie, rozgałęzione. Liście jajowate, dolne do 30 cm długie, im wyżej, tym mniejsze. Blaszki liściowe w barwne, kremowe, żółte i zaróżowione plamy. Część liści może być zupełnie bezchlorofilowych. Kwiaty drobne, białe w niewielkich, kątowych wiechach. Kwitnie jesienią.

Cenna, malownicza roślina nadająca się na obsadzanie miejsc między rzadko rosnącymi drzewami. W rozproszonym świetle liście są intensywnie wybarwione i nieprzypalone przez słońce. Dobrze rozrasta się na próchnicznym, dość wilgotnym podłożu. Mrozoodporność wystarczająca. Młode rośliny i przesadzane późnym latem trzeba okopcować na zimę. Rozmnażanie łatwe przez odsadzanie rozłogowych pędów, wiosną. Można też ukorzeniać szczytowe odcinki niekwitnących pędów, odcinając je w kolanku pod liściem.

Reynoutria sachalinensis 'Variegata'

Rheum alexandrae
Rabarbar Aleksandra

Stanowiska naturalne na łąkach i pastwiskach w Tybecie i zachodniej części Chin. Bylina o odziomkowych, jajowatych, do 20 cm długich, lśniąco zielonych liściach, wyrastających rozetowo z mocnych kłączy. Na początku lata wydaje wąskie, mające ok. 60 cm (maks. do 120 cm) wysokości, wiechowate kwiatostany złożone z drobnych, żółtawych kwiatków i szerokich, do 10 cm długich, zwisających, kremowo-żółtych, często zaczerwienionych przykwiatków.

Bardzo ozdobny, szczególnie w porze kwitnienia i przebarwiania się przykwiatków, ale niezbyt łatwy w uprawie. Nadaje się na stanowiska w rozproszonym świetle lub ocienione w najgorętszych godzinach dnia. Wymaga gleby próchnicznej, głębokiej, wilgotnej, a nawet mokrej. W naturze rośnie na górskich łąkach, gdzie warstwa gleby jest cienka, lecz przez kamieniste podłoże przesiąka woda. Mrozoodporność wystarczająca, szczególnie pod warstwą śniegu. Mnożenie z nasion jesienią lub podział rozrośniętych kęp — wiosną.

Rheum alexandrae

Rheum palmatum
Rabarbar dłoniasty

Również tybetańska bylina o potężnych i długich, mięsistych korzeniach, z których na grubych ogonkach wyrastają okazałe, mające ponad 50 cm średnicy, dłoniasto, głęboko klapowane i ząbkowane liście. Odmiana var. *tanguticum* ma młode liście bordowofioletowe, starsze z wierzchu zielenieją, lecz spód pozostaje ciemny. Latem na sztywnych, do 2 m wysokich, rozgałęzionych pędach rozwijają się wiechy drobnych, gwiazdkowatych, zaczerwienionych kwiatków.

Rozłożysta, bardzo z liści ozdobna bylina, przydatna na wyeksponowane stanowiska na brzegach wód lub jako soliter na trawniku, lub wśród niskich, okrywowych roślin. Wymaga żyznej, próchnicznej, nawożonej (kompost + obornik), głęboko skopanej, latem niewysychającej gleby. Mrozoodporna. Mnożenie z nasion, lecz odmiana może dać niejednolicie wybarwione potomstwo. Podział karpy korzeniowej możliwy, ale dość trudny.

Rheum palmatum var. tanguticum

Rudbeckia occidentalis
Rudbekia zachodnia

Gatunek pochodzi z terenów wzdłuż zachodniego wybrzeża Ameryki Północnej. W ogrodach furorę robi odmiana 'Green Wizard' o dużych koszyczkach z zielonymi, wąskimi płatkami i stożkowatymi, do 5 cm wysokimi, czekoladowymi środkami. Kwiaty pojawiają się latem — na końcach mocnych, górą rozgałęzionych, wysokich do 180 cm łodyg. Nadają się do cięcia i zasuszania. Liście odziomkowe osadzone na długich do 30 cm ogonkach są jajowate, do 20 cm długie i do 15 cm szerokie, ciemnozielone z jasnymi nerwami. Liście łodygowe na coraz krótszych ogonkach, najwyższe siedzące, niektóre klapowane.

Odmiana ciekawa ze względu na nietypową barwę kwiatów, a warta miejsca w ogrodzie naturalistycznym z powodu silnego wzrostu i nieskomplikowanej uprawy. Nadaje się jednak do ogrodów o dość żyznej, wilgotnej, ale przepuszczalnej glebie. Stanowisko może być słoneczne lub w rozproszonym świetle. Zimuje dobrze. Rozmnażanie przez podział większych kęp po przezimowaniu.

Rudbeckia occidentalis 'Green Wizard'
Rudbeckia occidentalis 'Green Wizard' — kwiaty

Sanguisorba hakusanensis
Krwiściąg hakusański

Pochodzi z Wysp Japońskich i Korei, gdzie podgórskie, wilgotne łąki są jej naturalnym środowiskiem. Bylina o łodygach do 60-80 cm wysokich, górą rozgałęzionych, niezbyt sztywnych. Liście odziomkowe, długoogonkowe, pierzaste z podługowatymi, ząbkowanymi, na 8-10 cm długimi listkami. Latem na końcach rozwidlonych pędów pojawiają się szczotkowate, do 10 cm długie, złożone z pręcikowych, różowych kwiatków kłosy.

Zanim zakwitnie, nie przyciąga większej uwagi. W czasie kwitnienia zauważalny dzięki nietypowemu kształtowi i intensywnej barwie kwiatostanów. Może rosnąć w słońcu lub lekkim cieniu. Podłoże powinno być próchniczne, łąkowe, dość wilgotne, ale przepuszczalne. Zimuje bez problemów. Mnożenie przez podział wczesną wiosną.

Sanguisorba hakusanensis

Sanguisorba menziesii
Krwiściąg

Stanowiska naturalne gatunku na północno-za-chodnich krańcach Ameryki Północnej (Alaska). W Chinach, w prowincji Yunnan, wyhodowano odmianę 'Dali Marble' o odziomkowych, pierza-stych, niebieskozielonych liściach złożonych z 7-15 owalnych, ząbkowanych listków. Każdy z nich posiada wąskie, nierówne, białe obrzeże-nie. Latem na mających ok. 1,2 m wysokości, rozgałęzionych pędach rozwijają się różowo-amarantowe, walcowate, do 7 cm długie, puszy-ste kłoski.

Bardzo dekoracyjna, pstrolistna bylina dająca okazałe, widoczne kępy. Może rosnąć między wyższymi bylinami, krzewami, wśród rzadko ros-nących drzew lub na otwartej przestrzeni. Lubi dość wilgotną, żyzną glebę. Mrozoodporność zu-pełna. Mnożenie przez podział rozrośniętych kęp — najlepiej wczesną wiosną.

Sanguisorba menziesii 'Dali Marble'

Trifolium ochroleucum (ochroleucon)
Koniczyna żółtobiała

Spotkać ją można na łąkach i pastwiskach w Anglii, Niemczech, a u nas (choć rzadko) na pogórzu. Proste, do 30-50 cm wysokie, ale niezbyt sztywne i często wylegające pędy są krótko owłosione. Liście dolne podłużnie eliptyczne, wyższe bardziej lancetowate. Latem rozwijają się jajowate lub kuliste, mające 2-4 cm średnicy, bladożółte kwiatostany.

W pełni kwitnienia przyciągająca uwagę wielkością i barwą kwiatów. Może rosnąć w słońcu np. na obrzeżach krzewów, ale i w rozproszonym świetle rzadko ugałęzionych drzew. Zadowala się każdą, przeciętnie żyzną i umiarkowanie wilgotną glebą. Mrozoodporność wystarczająca. Mnożenie z nasion wysiewanych od razu na miejsce stałe lub do doniczek.

Trifolium ochroleucum

Veratrum maackii
Ciemiężyca

Występuje na podgórskich łąkach w Japonii, Chinach i wschodniej części Rosji. Proste, sztywne pędy dorastają przeważnie do ok. 1-1,5 m wysokości i są opatrzone kilkoma wąskimi liśćmi. Liście odziomkowe dużo większe, ok. 30 cm długie i do 10 cm szerokie, szerokolancetowate, pofalowane. Od połowy lata rozwijają się długie (nawet do 1 m), wąskie, rzadko rozgałęzione wiechy złożone z niewielkich, sześciopłatkowych, mających ok. 1,5 cm średnicy kwiatów. Istniejących w naturze kilka odmian i form ma kwiaty w kolorze od jasnej zieleni przez kremowe, różowawe po karminowe.

Rzadkość w naszych ogrodach, raczej cenny nabytek w zaawansowanych kolekcjach. Może być ciekawym urozmaiceniem ogrodu naturalistycznego z fragmentami łąk i rzadko zakrzewionego stepu. Dobrze czuje się na stanowiskach w rozproszonym świetle lub przynajmniej ocienionych od południa. Gleba powinna być umiarkowanie wilgotna i odpowiednio zdrenowana gruzem, żwirem lub rumoszem skalnym. Zimotrwała. Rozmnażanie z nasion, dość żmudne, gdyż siewki rosną bardzo powoli.

Veratrum maackii

Veratrum nigrum
Ciemiężyca czarna

Naturalne stanowiska w pasie od środkowej części Europy przez całą Azję. W Polsce rzadka i chroniona. Jest okazałą, do 2 m wysoką byliną o pojedynczej, grubej łodydze i szerokoeliptycznych, pofalowanych, do 35 cm długich liściach odziomkowych oraz dużo mniejszych, nielicznych liściach pędowych. Latem wydaje okazałe, do 1 m długości wiechy złożone z licznych, czekoladowej barwy kwiatków.

Na odpowiednich stanowiskach trwała i bezproblemowa. Ze względu na rozmiary potrzebuje dużo miejsca i najlepiej prezentuje się na otwartej przestrzeni jako soliter. Wymaga próchnicznej, żyznej i wilgotnej latem gleby. Przy niedostatku wilgoci liście przedwcześnie zasychają. Mrozoodporność zupełna. Rozmnażanie z nasion, jesienią. Wschodzą nierówno, często przelegują do następnej wiosny.

Veratrum nigrum

Oczka, błotka, strumyki, obrzeża wód

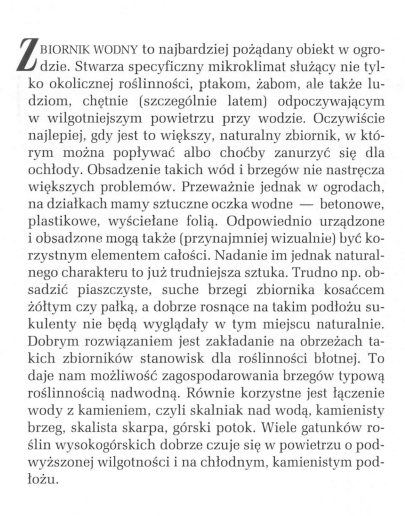

ZBIORNIK WODNY to najbardziej pożądany obiekt w ogrodzie. Stwarza specyficzny mikroklimat służący nie tylko okolicznej roślinności, ptakom, żabom, ale także ludziom, chętnie (szczególnie latem) odpoczywającym w wilgotniejszym powietrzu przy wodzie. Oczywiście najlepiej, gdy jest to większy, naturalny zbiornik, w którym można popływać albo choćby zanurzyć się dla ochłody. Obsadzenie takich wód i brzegów nie nastręcza większych problemów. Przeważnie jednak w ogrodach, na działkach mamy sztuczne oczka wodne — betonowe, plastikowe, wyściełane folią. Odpowiednio urządzone i obsadzone mogą także (przynajmniej wizualnie) być korzystnym elementem całości. Nadanie im jednak naturalnego charakteru to już trudniejsza sztuka. Trudno np. obsadzić piaszczyste, suche brzegi zbiornika kosaćcem żółtym czy pałką, a dobrze rosnące na takim podłożu sukulenty nie będą wyglądały w tym miejscu naturalnie. Dobrym rozwiązaniem jest zakładanie na obrzeżach takich zbiorników stanowisk dla roślinności błotnej. To daje nam możliwość zagospodarowania brzegów typową roślinnością nadwodną. Równie korzystne jest łączenie wody z kamieniem, czyli skalniak nad wodą, kamienisty brzeg, skalista skarpa, górski potok. Wiele gatunków roślin wysokogórskich dobrze czuje się w powietrzu o podwyższonej wilgotności i na chłodnym, kamienistym podłożu.

Oczko wodne — naturalne — ogród autora (s. 384-385)

Brzegi oczka zagospodarowane bylinami, krzewami i fragmentem skalniaka — ogród p. Anny Fusińskiej z Głogowa

Decydując się na budowę oczka wodnego, warto pamiętać, że im mniejszy i płytszy, tym więcej będzie z nim problemów. Betonowe mogą pękać, rozsadzane zimą przez lód — wypompowywanie wody jesienią będzie raczej konieczne. Wyściełane folią nie są trwałe. Ziemne gryzonie (karczownik), promienie słoneczne, korzenie roślin (bambus, trzcina) skutecznie zagrażają szczelności folii i trzeba się liczyć z częstą wymianą wyściółki. Plastikowe i z mas bitumicznych są najtrwalsze i łatwe w montażu, jednak są produkowane w ustalonych kształtach i rozmiarach, co ogranicza naszą inwencję.

Przy doborze roślin wodnych nie można zapominać, że wszystkie wymagają pełnego słońca i w odpowiednich warunkach szybko się rozrastają. Zakupione w małej doniczce kłącze grzybienia (*Nymphaea*) może po 2-3 latach zająć 2 m kwadratowe lustra wody. Niewielka sadzonka pałki drobnej (*Typha minima*) szybko opanuje błotko lub brzegi oczka, skutecznie eliminując inne gatunki.

Wielkość zbiornika i dobór roślin ma też zdecydowany wpływ na stworzenia wodne i żyjące w pobliżu wód. W większych i naturalnych hodowla rybek nie stwarza większych problemów. Również żaby trzymają się takich zbiorników, oczyszczając najbliższą okolicę z owadów i drobnych ślimaków. Zbędne są tam jakiekolwiek dodatkowe urządzenia (filtry), gdyż wszystkie elementy dobrze skomponowanego środowiska wytwarzają równowagę biologiczną zbliżoną do panującej w warunkach naturalnych.

Górski strumyk na skalniaku — ogród p. Judzińskich z Zielonej Góry

Eryngium aquaticum
Mikołajek nadwodny

Naturalne stanowiska znajdują się na obu wybrzeżach Ameryki Północnej. Zasiedla przeważnie płytkie bagna, torfowiska, rowy, ale spotkać go można także na suchszych brzegach cieków wodnych. Jest byliną o prostych, sztywnych, dorastających do 1 m pędach i zielonych, do 30 cm długich, wąskich i rzadko ząbkowanych liściach posiadających siatkowe unerwienie. Jest to cecha charakterystyczna odróżniająca go od innego, amerykańskiego *E. yuccifolium*. Latem (lipiec- -wrzesień) na końcach rozgałęzionych pędów wydaje niewielkie, srebrzystoniebieskawe główki opatrzone wąskimi podsadkami.

Niewątpliwa ciekawostka i rzadkość w naszych ogrodach. Może być ozdobą oczka wodnego, strumyka, błotka. Dobrze czuje się w płytkiej wodzie, jak też na podmakającym brzegu. Stanowisko powinno być słoneczne. Zimuje dobrze, szczególnie gdy był sadzony wiosną i zdążył się dobrze zakorzenić. Mnożenie przez wysiew świeżo zebranych nasion w wilgotne, torfiaste podłoże.

Eryngium aquaticum

Houttuynia cordata 'Aurea'
Houttuynia cordata 'Chameleon'

Houttuynia cordata
Pstrolistka sercowata

Pochodzi z wschodniej części Azji (Chiny, Japonia). Rośnie tam przeważnie w podmokłych lasach, zaroślach, na bagnach i brzegach cieków wodnych. Jest dość ekspansywną, rozrastającą się podziemnymi kłączami, na 20-40 cm wysoką byliną o sercowatych lub jajowatych, do 9 cm długich, aromatycznych liściach. Odmiana 'Chameleon' ma wielobarwne, zielono-żółto-czerwone liście. Odmiana 'Aurea' ma liście z przewagą żółtego koloru. Kwiaty niepozorne, żółte, na 2-3 cm długie kłoski na białych płatkach (podsadki).

Bardzo dekoracyjna, przede wszystkim z liści. Polecana na brzegi większych oczek wodnych, strumyków i podmokłe obniżenia terenu. Potrzebuje dość żyznej, próchniczno-torfowej gleby. Stanowisko powinno być słoneczne lub z nieznacznym, południowym cieniem. W zbyt mocnym cieniu liście tracą barwy. Mrozoodporność wystarczająca, szczególnie starszych, głęboko zakorzenionych roślin. Młode i sadzone jesienią warto zasypać na zimę grubą warstwą kompostu, kory, igliwia. Mnożenie łatwe przez oddzielanie rozłogowych korzeni lub sadzonkowanie wierzchołkowych części pędów.

Iris ensata
Kosaciec mieczolistny

Nazywany też *I. kaempferi*, występuje w całej Azji Wschodniej (Chiny, Japonia, Korea, Mandżuria). Gatunek rzadko uprawiany, gdyż wyhodowano liczne, barwne, wielkokwiatowe odmiany i formy. W Japonii sadzi się je przeważnie na brzegach zbiorników wodnych albo specjalnie urządzonych, pływających wysepkach. Podstawowym wymogiem tego kosaćca jest bowiem duża wilgotność podłoża. Musi być ono też bardzo żyzne, gliniasto-kompostowe z dodatkiem kwaśnego torfu i starego obornika. Stanowisko koniecznie słoneczne. W naszych ogrodach można mu przygotować odpowiednie stanowiska na podsiąkających brzegach oczek wodnych, bagienek, strumyków, a także w zagłębieniach terenu, gdzie nie będzie problemu z wilgotnością podłoża. Mrozoodporność wystarczająca, większa jednak na stanowiskach obsychających zimą. Stąd zapewne popularność uprawy w pojemnikach, wstawianych na sezon wegetacyjny do płytkiej wody i dołowanych w suchszej glebie na zimę. Pojemniki muszą być dość duże i ażurowe, najlepiej plastikowe, płaskie kosze. Rozmnażanie przeważnie przez podział po przezimowaniu. Warto również wysiewać nasiona, szczególnie jeśli mamy w ogrodzie różne odmiany. Jest duże prawdopodobieństwo uzyskania potomstwa o mieszanych, odmiennych od rodzicielskich cechach. Mogą o tym zaświadczyć kwiaty pochodzących z siewu, wyselekcjonowanych, własnych mieszańców.

Iris ensata

Iris ensata
Iris ensata

Iris ensata

Iris sibirica 'Jamaican Velvet'

Iris sibirica
Kosaciec syberyjski

Gatunek występuje na wilgotnych, czasowo nawet zalewanych łąkach i nad brzegami wód w Europie i Azji, po Syberię. Gatunek jest skromną z wyglądu rośliną, lecz posłużył do hodowli wielu nieskromnych odmian o większych, różnobarwnych kwiatach, bujniej rosnących i obficiej kwitnących. Wszystkie można uprawiać w ogrodach posiadających słoneczne stanowiska z próchniczną, łąkową, cały sezon wilgotną glebą. Ładnie prezentują się nad oczkiem wodnym, na brzegu strumyka czy błotka. Zupełnie mrozoodporne, jednak niektóre najnowsze odmiany (szczególnie pełnokwiatowe) są mniej żywotne, łatwiej chorują i skąpo kwitną. Na odpowiednich stanowiskach kosaciec syberyjski może rosnąć wiele lat. Z czasem jednak nadmiernie się zagęszcza, pędy w środku kępy zamierają, a kwiaty drobnieją. Przesadzając na nowe miejsce, najlepiej wczesną wiosną, sadzonki należy pozyskiwać ze skrajnych kłączy (chyba że jest to wyjątkowo cenna odmiana). Dzieląc później (w sierpniu), należy silnie przyciąć liście. Rozmnażanie z nasion rzadko stosowane, choć rośliny wysiane jesienią wschodzą w wysokim procencie. Niestety otrzymanie nowej, cennej odmiany to proces na wiele lat.

Z ciekawszych i rzadziej u nas spotykanych odmian warto poznać:
'Jamaican Velvet' — kwiaty aksamitne w kolorze karminu.
'Kaboom' — odmiana o zwiększonej ilości płatków — granatowych z białą plamą u nasady.
'Lady Valpole' — górne płatki lila, dolne ciemniejsze z żółtą, żyłkowaną brązem nasadą.
'Off She Goes' — silnie faliste, lawendowe płatki z żółto-brązową plamą na dolnych częściach.
'River Dance' — błękitnoniebieskie płatki z kremowym brzegiem i plamą u nasady.
'Shaker's Prayers' — górne płatki niebieskie, dolne kremowe, niebiesko żyłkowane.
'Shall We Dance' — górne płatki szerokie, lawendowoniebieskie, dolne niebieskofioletowe.
'Welfenschatz' — górne płatki kremowe, dolne żółte.

Iris sibirica 'Kaboom'
Iris sibirica 'Off She Goes'

Iris sibirica 'River Dance'
Iris sibirica 'Welfenschatz'

Marsilea quadrifolia
Marsylia czterolistna

Naturalne stanowiska znajdują się w strefie umiarkowanie ciepłego klimatu Europy i Azji. Porasta przeważnie płycizny stojących wód, ale także podmokłe, okresowo zalewane łąki. Jest paprocią o cienkich, pełznących kłączach, z których wyrastają okrągłe w zarysie, mające ok. 3 cm średnicy, złożone z czterech segmentów liście.

Oryginalna paproć tworząca gęsty kożuch na powierzchni wody lub na 10 cm wysoką darń na brzegu. Może być ciekawostką w oczku wodnym lub na błotku. Często sadzi się ją w płaskich koszach zanurzanych w płytkiej wodzie. Lubi dość ciężką, gliniastą ziemię. Musi rosnąć w pełnym słońcu. Mrozoodporność wystarczająca, lecz roślina nie jest łatwa w utrzymaniu, szczególnie gdy woda pochodzi z miejskich wodociągów. Mnożenie łatwe przez odcinanie fragmentów podłoża przerośniętego łodygami.

Marsilea quadrifolia

Nymphaea hybrida
Grzybień ogrodowy

Gatunki botaniczne występują w wodach na całym świecie. U nas grzybień biały (*N. alba*) i północny (*N. candida*) rosną w stawach, jeziorach, starorzeczach, zatokach — przeważnie w stojącej, do 2 m głębokiej wodzie o mulistym dnie. W ogrodowych oczkach, basenikach czy większych, naturalnych zbiornikach sadzi się przeważnie odmiany mieszańcowe uzyskane ze skrzyżowania gatunków europejskich, azjatyckich i amerykańskich. Liczne odmiany różnią się budową, wielkością i barwą kwiatów, wielkością i barwą liści oraz wymaganiami co do głębokości wody.

Uprawa grzybieni może być dość łatwa albo też skomplikowana. Jeśli chcemy posadzić kilka roślin w naturalnym stawie lub nie za głębokim jeziorze, wystarczy do kawałka kłącza przywiązać większy kamień lub inne obciążenie i wrzucić w wybranym miejscu do wody. Korzenie bardzo szybko wrosną w muliste dno i w krótkim czasie dadzą szeroką, obficie kwitnącą wyspę. Przeważnie jednak mamy do obsadzenia małe oczko wodne wykonane z betonu, tworzywa sztucznego lub wyściełane folią. Uprawa w pojemnikach jest w takich przypadkach jedyną możliwością. Podstawowym (i bardzo częstym) błędem jest zanurzenie rośliny z doniczką, w której została zakupiona. Przesadzenie do większej też nie jest wystarczającym rozwiązaniem. Korzenie grzybieni (a są dość długie i mocne) wymagają swobodnego dostępu do natlenionej wody. Ściśnięte w litym pojemniku zamierają, co powoduje słaby wzrost i mizerne kwitnienie. Warto więc od razu zakupić większe pojemniki, kosze o ażurowych ściankach i dnie. Grzybienie potrzebują dość żyznego podłoża. Powinno się wymieszać w równych proporcjach torf kwaśny, kompost i glinę oraz dodać starego obornika. Po posadzeniu kłączy trzeba wierzch pojemnika obłożyć kamykami, by woda nie wypłukiwała wierzchniej warstwy gleby. Pojemniki wstawia się do wody na odpowiednią głębokość. Odmiany karłowe bliżej brzegu lub na odpowiednie półki, a silniej rosnące w centrum zbiornika. Pamiętać też należy, że jedna roślina może

Nymphaea 'Almost Black'

Nymphaea 'Arc en Ciel'
Nymphaea 'Colorado'

Nymphaea 'Lily Pons'
Nymphaea 'Mayla'

w ciągu 2-3 lat zająć ponad 1 m kwadratowy lustra wody. Grzybienie (jak wszystkie rośliny wodne) wymagają pełnego nasłonecznienia — i jest to też podstawowy wymóg warunkujący sukces w uprawie. Sadzenia, dzielenia kłączy dokonuje się od połowy kwietnia, gdy woda się nieco ogrzeje i zaczynają wyrastać nowe liście.

Do nowszych, atrakcyjnych odmian na średnio głębokie (40-80 cm) wody na pewno można zaliczyć:

'Almost Black' — o bardzo ciemnych, wiśniowych z czarnym cieniem kwiatach, mających do 40 płatków i średnicę 12-15 cm. Liście do 20 cm średnicy, młode brązowawe.

'Arc en Ciel' — kwiaty do 20 cm średnicy, białe, delikatnie zaróżowione, złożone z 18-25 płatków. Liście do 20 cm średnicy, zielone w biało-różowe cętki, plamy i większe fragmenty liścia.

'Barbara Dobbins' — kwiaty różowo-żółte (ok. 30 płatków), 12-15 cm średnicy, wystające ponad wodę.

'Colorado' — o ciepłych, łososiowych, mających ok. 15 cm średnicy kwiatach wystających 10 cm ponad lustro wody. Kwitnie bardzo obficie.

'Lemon Mist' — kwiaty mniejsze, mające 10-13 cm średnicy, cytrynowożółte, sterczące ponad wodą.

'Lily Pons' — kwiaty jasnoróżowe o wąskich płatkach (w liczbie ponad 100) tworzących, mający 15-17 cm średnicy, pompon. Rzadko spotykana, bardzo atrakcyjna odmiana.

'Mayla' — kwiaty różowe o niespotykanym odcieniu, mające 13-17 cm średnicy. Rzucająca się w oczy, niezwykle efektowna odmiana.

Nymphaea — widok ogólny

Osmunda
Długosz

Rodzaj obejmuje ok. 12 gatunków paproci występujących na mokradłach i obrzeżach wód na wszystkich kontynentach. W Polsce występuje jedynie długosz królewski (*O. regalis*). Jest prawnie chroniony, a największe naturalne stanowiska znajdują się w Wielkopolsce i na szerokim pasie wzdłuż Odry.

W ogrodach uprawia się:

Osmunda cinnamonea (długosz cynamonowy) — paproć o płonnych liściach do 1 m wysokich, w zarysie lancetowatych, parzystopierzastych, o karbowanych listkach. Liście zarodnikonośne wyrastają ze środka i są węższe, sztywniejsze. Jesienią liście płonne przebarwiają się na pomarańczoworudy kolor.

Osmunda claytoniana (długosz Claytona) — liście płonne, do 60-90 cm wysokie, jasnozielone z niebieskawym odcieniem, pierzaste o karbowanych listkach. Niektóre liście mają w środkowej części ciemno zabarwione wstawki listków zarodnikonośnych.

Osmunda regalis (długosz królewski) — liście do 2 m wysokie, w zarysie trójkątne lub szerokolancetowate, podwójnie pierzaste o płytko karbowanych listkach. Niektóre liście w górnej części są przekształcone w liście zarodnikonośne. Odmiana 'Cristata' ma końce liści grzebieniasto pofryzowane.

Wszystkie długosze są paprociami naziemnymi, nadającymi się do obsadzania podmokłych, torfiastych obniżeń terenu, błotek, obrzeży wód. Wymagają próchniczno-torfowej, kwaśnej gleby i słonecznej wystawy. W przypadku niedostatku wilgoci podczas lata korzystniej jest sadzić w lekko ocienione miejsca. Mrozoodporność bez zastrzeżeń, lecz nie powinno się ich przesadzać, dzielić jesienią. Mnożyć można z wysiewu zarodników lub przez podział rozrośniętych, wielorozetowych kęp.

Osmunda cinnamonea
Osmunda cinnamonea — jesienią

Osmunda claytoniana

Osmunda regalis
Osmunda regalis 'Cristata'

Sagittaria australis

Naturalne stanowiska znajdują się we wschodniej i środkowej części USA: od Nowego Jorku po Teksas. Porasta przeważnie podmokłe brzegi i płycizny wód. Wyhodowana i chroniona patentem odmiana 'Benni' posiada strzałkowate, do 10-25 cm długie, brązowe z zielonymi nerwami liście i białe, niewielkie kwiatki pojawiające się latem.

Nowinka warta szybkiego rozpowszechnienia. Może to być jednak utrudnione nie tylko ze względu na patent, ale też nie do końca jeszcze sprawdzoną przydatność tej rośliny w różnych regionach naszego kraju. Pochodzi z nieco cieplejszego klimatu i odpowiada jej płytka, szybko nagrzewająca się woda. Od tego zależy wysokość rośliny (30 do 70 cm), wielkość liści i liczba wydanych bulw. Barwa jest najintensywniejsza u młodych liści i na stanowiskach słonecznych, lecz lekko ocienionych przed palącymi promieniami w porze południowej. Mrozoodporność może być zawodna, szczególnie przy uprawie w pojemnikach. Wskazane opuszczenie pojemników na głęboką wodę lub przeniesienia do chłodnego akwarium. Profilaktycznie można część bulw przechować w lodówce, na najniższej półce, umieszczając je w woreczku foliowym wypełnionym wilgotnym mchem, torfem, piaskiem.

Sagittaria australis 'Benni'

Sagittaria latifolia
Strzałka szerokolistna

Nadbrzeżna bylina rozpowszechniona we wschodnich i południowych stanach USA. Do ogrodów bardziej przydatna i ładniejsza jest odmiana 'Plena' o śnieżnobiałych, pomponowych kwiatach osadzonych okółkowo na kanciastych, do 70-100 cm długich pędach. Liście strzałkowate, w korzystnych warunkach mogą mieć do 40 cm długości i 20 cm szerokości. Pędy kwiatowe i liście wyrastają z dużych (4-6 cm średnicy), różowo podbarwionych bulw. Kwitnie nieregularnie przez całe lato.

Bardzo atrakcyjny element na bagniste brzegi stojących lub wolno płynących wód. Może rosnąć na granicy wody lub zanurzona do 30 cm. Gorzej czuje się w sztucznych (betonowych, foliowych) zbiornikach, gdzie uprawiana w pojemnikach ma ograniczone możliwości do rozrastania. Podłoże do pojemników powinno być żyzne: torf + glina + kompost. Na stanowiskach naturalnych zimuje bez problemu. W sztucznych basenach należy przed zimą przesunąć pojemniki na głębszą wodę, poza strefę zamarzania. Rozmnażanie przez rozsadzanie bulw, wiosną.

Sagittaria latifolia 'Plena'

Pergole,
drabinki

*T*RUDNO SOBIE WYOBRAZIĆ OGRÓD bez roślin pnących. Niektóre uprawia się ze względów praktycznych, gdy np. zasłaniają stary, brzydki płot lub ścianę albo gęstą kotarą odgradzają nas od wścibskich sąsiadów. Inne mają wartość użytkową (owoce), ale największą grupę stanowią ozdobne z kwiatów i liści. Jedne są trwałymi bylinami lub krzewami o zdrewniałych pędach, inne uprawia się jak rośliny jednoroczne. W zależności od siły wzrostu i wymagań co do gleby i światła sadzi się je przy różnego rodzaju drabinkach, kratownicach, pergolach, parkanach. Są też takie, które najciekawiej się prezentują, porastając rzadko ugałęzione lub usychające drzewa.

Nieliczne z uprawianych w naszych ogrodach gatunków to rodzime rośliny. Pochodzą przeważnie z cieplejszych regionów świata i musimy się liczyć z koniecznością troskliwszej opieki. Czasami wystarczy zapewnienie odpowiedniego stanowiska, wystawy słonecznej, poprawienie struktury czy składu podłoża. W wielu przypadkach wskazane będzie zabezpieczanie przed mrozem czy zimowym wiatrem. Jak w przypadku wszystkich innych roślin, także o pnączach warto co nieco się dowiedzieć, zanim trafią do naszego ogrodu. Odwdzięczą się później zdrowym wzrostem i obfitością kwiatów.

Róża pnąca na solidnej pergoli (s. 418-419)

Akebia dłoniasta — silnie rosnące pnącze
o oryginalnych owocach

Actinidia kolomikta
Aktinidia pstrolistna

Naturalne stanowiska w Azji Wschodniej (Japonia, Sachalin, Chiny). Pnącze o dość grubych, wzniesionych lub słabo owijających się, do 3-5 m długich, brązowych pędach. Liście jajowate, zaostrzone, 7- -12 cm długie. Młode liście jasnozielone, latem od wierzchołka liści pojawiają się biało-różowe nacieki i plamy. Przy niedostatku światła barwy są mniej intensywne. Również latem rozkwitają zwisłe, pachnące, białe, mające ok. 2 cm średnicy kwiaty. Po nich na żeńskich osobnikach zawiązują się jadalne, ok. 2,5 cm długie, zielonkawożółte owoce.

Bardzo (szczególnie latem) ozdobne, pstrolistne pnącze, nadające się na pergole, naścienne kraty, drabinki. Wymaga zacisznego, słonecznego stanowiska o żyznej, próchnicznej, głęboko skopanej, latem dość wilgotnej glebie. Zimuje dobrze, ale w mroźne, wietrzne zimy mogą odmarzać młodsze, słabiej zdrewniałe końce pędów. Rozmnażanie z letniego ukorzeniania półzdrewniałych pędów.

Actinidia kolomikta

Aristolochia macrophylla
Kokornak wielkolistny

Pochodzi z południowo-wschodnich stanów USA. Silnie rosnące pnącze o zielonych, splątanych, 5-8 m długich pędach. Liście sercowate, mające 20-30 cm średnicy, z wierzchu ciemnozielone i jaśniejsze od spodu. Kwiaty fajkowate zielonkawe, wewnątrz ciemno nakrapiane, rozwijają się latem, ale są schowane pod liśćmi.

Mocne, szybko rosnące pnącze, skuteczne w zarastaniu wyższych, solidnych pergoli i usychających drzew. Najlepiej czuje się w rozproszonym świetle lub z południowym ocienieniem. Wymaga przepuszczalnej, próchnicznej, umiarkowanie wilgotnej gleby. Wrażliwy na zimowe zalewanie podłoża. W północnej i zachodniej części kraju zimuje bez problemów. Bardziej na wschód wymaga okopcowania i ewentualnego przycięcia obmarzniętych pędów wiosną. Rozmnażanie na własne potrzeby przez odkłady lub półzdrewniałe sadzonki pobierane latem. Blaszki liściowe należy mocno zredukować, a ukorzeniać w ocienionym inspekcie.

Aristolochia macrophylla

Clematis
Powojnik

Najpopularniejsze, najchętniej w ogrodach sadzone powojniki wielkokwiatowe reprezentowane są przez ponad 400 odmian we wszystkich prawie kolorach i kombinacjach barw. Różnią się też siłą wzrostu, obfitością i porą kwitnienia, a także budową kwiatów. Wszystkie są wieloletnimi pnączami o cienkich, do 2-3 m długich pędach i jajowatych, gładkich, ciemnozielonych liściach, których ogonki mają zdolność owijania się wokół podpór. Powojniki sadzi się przy różnego rodzaju drabinkach, kratownicach, parkanach lub puszcza swobodnie na krzewy i niewysokie drzewa. Wymagają głęboko uprawionej, próchnicznej z dodatkiem chudej gliny, starego obornika i gruzu wapiennego gleby. Powojniki lubią mieć gorącą głowę i chłodne nogi , więc stanowisko powinno być słoneczne, ale podsadzone niższymi roślinami, ocieniającymi dolną część pędów. Handel obecnie oferuje rośliny w pojemnikach, więc praktycznie można je sadzić przez cały sezon. Na zimę warto podsypać kopczykiem kompostu lub kory.

W myśl porzekadła, że to ładne, co się komu podoba, z pewnością subiektywnie proponuję kilka ciekawszych:

'Andromeda' — wielkokwiatowy, wczesny. Kwiaty duże, w maju-czerwcu półpełne, a pod koniec lata pojedyncze, kremoworóżowe z ciemną pręgą przez środek płatka.

'Belle of Woking' — wczesny, kwiaty duże, na zeszłorocznych pędach pełne, a na tegorocznych pojedyncze, popielatoniebieskie.

'Comtesse de Bouchaud' — późny, kwiaty średniej wielkości, różowe. Silnie rośnie i kwitnie bardzo obficie w czerwcu-wrześniu.

'Dr Ruppel' — kwiaty duże, różowe z karminową pręgą — w maju i później w lipcu. Woli lekko ocienione stanowiska.

'Monte Cassino' — polska odmiana o dużych, purpurowych, aksamitnych kwiatach — od czerwca do sierpnia.

'Niobe' — również polska odmiana, kwiaty duże, ciemnoczerwone z jasnymi pręcikami — w czerwcu i później powtarza w lipcu-wrześniu.

Clematis 'Belle of Woking'

'**Patricia Ann Fretwell**' — kwiaty duże, różowe z ciemniejszą pręgą, pełne w czerwcu i pojedyncze pod koniec lata.

'**Warszawska Nike**' — kwiaty średniej wielkości, karminowofioletowe, od czerwca do września. Polska odmiana.

Clematis 'Dr Ruppel'

Clematis 'Monte Cassino'
Clematis 'Patricia Ann Fretwell'

Clematis 'Warszawska Nike'

Clematis macropetala
Powojnik wielopłatkowy

Pochodzi z wschodnich kresów Rosji (Syberia) i Chin. Cienkie, ponad 3 m długie pędy są w górnej części rozgałęzione i splątane. Liście sezonowe, podwójnie pierzaste o małych, do 2-3 cm długości ząbkowanych listkach. Jedna z ładniejszych odmian, 'Markham's Pink', ma półpełne, do 6 cm średnicy, różowe kwiaty. Kwitnie wiosną i na początku lata — bardzo obficie.

Trwałe, niezawodne i mało wymagające pnącze. Nadaje się na wszelkiego rodzaju podpory: drabinki, kratownice, pergole, płoty. Ładnie również prezentuje się, porastając rzadko ugałęzione drzewa i iglaki. Dobrze rośnie na każdej, przeciętnie żyznej, przepuszczalnej, umiarkowanie wilgotnej glebie i w nasłonecznionym miejscu. Mrozoodporność bez zastrzeżeń. Nie wymaga przycinania, chyba że w celu pobudzenia wzrostu nowych pędów lub poprawy pokroju. Mnożenie ze świeżo zebranych nasion, ale na własne potrzeby pewniejsze jest przez odkłady.

Clematis macropetala 'Markham's Pink'

Clematis viorna

Pochodzi z podgórskich lasów we wschodniej części USA. Jest pnączem o 3-4 m długości, zaczerwienionych pędach, wspinających się po gałęziach krzewów i drzew. Liście pojedyncze lub trzylistkowe, gładkie, całobrzegie, czasami z bocznym rozcięciem. Od wiosny, przez całe lato, na długich szypułkach rozwijają się dzwonkowate, 2-3 cm długie kwiatki o mięsistych, z wierzchu różowokarminowych (w różnych odcieniach) i kremowożółtych wewnątrz, wywiniętych płatkach. Pod jesień puszyste, zmierzwione nasienniki.

Bardzo oryginalny, nietypowy, budzący powszechne zainteresowanie powojnik. Najefektowniej wygląda puszczony po gałęziach drzewa lub szeroko rozgałęzionego iglaka. Lubi miejsca słoneczne, ale zaciszne i próchniczną, wzbogaconą kompostem liściowym glebę. Mrozoodporność wystarczająca. W środkowej i wschodniej Polsce warto na zimę okopcować. Mnożenie ze świeżo zebranych nasion. Gatunek botaniczny, więc potomstwo powtarza cechy.

Clematis viorna

Clematis viticella
Powojnik włoski

Południowoeuropejski, do 2-4 m wysoki, o cienkich, zdrewniałych pędach i pierzastych, jajowatych, gładkich liściach. Kwiaty u gatunku drobne (ok. 4 cm średnicy), dzwonkowate, niebieskie lub w odcieniach różu i karminu. W uprawie kilkanaście odmian i mieszańców o odmiennych kształtach, wielkości i barwie kwiatów.

Wszystkie są cennymi, bardzo w czasie kwitnienia ozdobnymi pnączami. Najefektowniej prezentują się, porastając wyższe krzewy, niewielkie drzewa czy rzadko ugałęzione iglaki. Odpowiada im jasne, słoneczne stanowisko z ocienioną przez niższe rośliny lub gałęzie glebą. Nie ma specjalnych wymagań co do gleby, ale nie powinna ona być zupełnie sucha i jałowa ani podmokła czy zalewana zimą. Zimuje dobrze, choć warto podsypać kopczykiem kompostu lub kory. Mnożenie ze świeżych nasion i przez odkłady, a dla fachowców z sadzonek półzdrewniałych, wczesnym latem.

Przedstawicielami tego gatunku są:

'Mme Julia Correvon' — o winnoczerwonych z żółtymi pręcikami kwiatach. Kwitnie bardzo obficie od czerwca do września, czasami do przymrozków.

'Polish Spirit' — polska odmiana o ciemnofioletowych, blednących kwiatach.

'Purpurea Plena Elegans' — kwiaty pełne, do 8 cm średnicy w kolorze indygo. Kwitnie do późnej jesieni.

'Venosa Violacea' — kwiaty otwarte, do 8 cm średnicy. Płatki wklęsłe, w środku jasne, ku brzegom coraz ciemniejsze, niebieskofioletowe.

Clematis viticella 'Mme Julia Correvon'

Clematis viticella 'Polish Spirit'

Clematis viticella 'Purpurea Plena Elegans'
Clematis viticella 'Venosa Violacea'

Codonopsis lanceolata
Dzwonkowiec

Azjatyckie (Chiny, Korea, Japonia) pnącze o cienkich, brązowawych, splątanych, do 1-2,5 m długich pędach wyrastających z mięsistych korzeni. Liście trzylistkowe, eliptyczne, całobrzegie, na 5-7 cm długie, ciemnozielone. Pod koniec lata rozwijają się pękate, dzwonkowate, 3-4 cm długie, bladozielonkawe z fioletowymi żyłkami i plamkami kwiaty.

Interesujące, łatwe w uprawie pnącze przydatne na mocniejsze drabinki, płoty. Daje dość dużą masę liści i łodyg, więc podpory powinny być solidne. Może rosnąć w miejscach nasłonecznionych i lekko ocienionych. Podłoże powinno być dość żyzne, próchniczne na bazie kompostu liściowego, głęboko skopane, umiarkowanie wilgotne i niezalewane zimą. Zimuje dobrze. Zawiązuje duże ilości nasion w płaskich, graniastych torebkach. Wysiewa się je jesienią, w doniczkach zadołowanych w gruncie lub inspekcie.

Codonopsis lanceolata

Dicentra scandens
Serduszka pnące

Himalajskie pnącze o cienkich, do 2-3 m długich, kruchych pędach czepiających się długimi wąsami gałęzi drzew i krzewów w podgórskich lasach. Liście pierzaste, podzielone na lancetowate listki. Latem zaczynają się rozwijać grona zawisłych, wąskich, 2-3 cm długich, żółtych z czerwonymi cieniami kwiatków. Po nich długie, czerwone strączki z czarnymi nasionami.

Urocze, ale nietrwałe pnącze, przydatne do upiększania brzydszych krzewów i drzewek. Dobrze rośnie w słońcu i rozproszonym świetle. Wymaga podłoża próchnicznego z dodatkiem torfu, bezwapiennego, latem dość wilgotnego. Na takich stanowiskach rozsiewa się i samoczynnie odradza przez kilka lat. Aby przenieść na inne miejsce, wystarczy przepikować tam wiosną siewki lub jesienią rozsiać nasiona.

Dicentra scandens

Ipomoea lobata
Wilec klapowany

Uprawiane u nas jako jednoroczne, pochodzące z Ameryki Środkowej pnącze o 2-4 m długości, czerwonawych łodygach. Liście szerokie, trójklapowe z sercowatą nasadą. Od początku lata aż do przymrozków rozwijają się jednostronne, do 30 cm długie grona złożone z rurkowatych, do 2 cm długich kwiatków. Są one w pąku czerwone, w miarę rozwoju stają się żółte, a pod koniec kwitnienia prawie białe.

Oryginalne, obficie i długo kwitnące pnącze, niezastąpione do okrywania większych pergoli i kratownic. Wymaga słonecznych, ciepłych stanowisk i przepuszczalnej, próchnicznej, w sezonie dość wilgotnej gleby. Nasiona wysiewa się wczesną wiosną do doniczek w inspekcie, szklarni lub tunelu foliowym. W połowie maja, gdy minie ryzyko przymrozków, podrośnięte sadzonki (po zahartowaniu) wysadza się na miejsce stałe.

Ipomoea lobata — pokrój
Ipomoea lobata — kwiaty

Ipomoea purpurea
Wilec purpurowy

Wywodzi się z Ameryki Środkowej i tropikalnej części Ameryki Południowej. Pnącze o cienkich, do 3 m długich, krótko owłosionych, łatwo owijających się pędach. Liście duże, do 10 cm średnicy, sercowate. Kwiaty trąbkowate, szeroko otwarte, do 6 cm średnicy, w kolorach: biały, błękitny, niebieski, różowy, karminowy, często z kontrastowymi paskami, osadzone po kilka w kątach górnych liści. Kwitnie całe lato.

Dość znane, ale trochę niedoceniane, jednoroczne pnącze. Bardzo przydatne do szybkiego zakrywania parkanów, balkonowych kratownic, ażurowych altan. Daje obfitą, gęstą zieleń liści i subtelny urok różnobarwnych kwiatów, otwartych w porannych godzinach i w pochmurne dni, gdy inne rośliny mniej chętnie chwalą się swoją urodą. Rośnie dobrze w każdej, przeciętnie żyznej i latem dość wilgotnej glebie. Stanowisko może być słoneczne lub z południowym cieniem. Nasiona najlepiej wysiewać od razu na miejsce stałe, w kwietniu. Na odpowiednich stanowiskach część nasion może przetrwać łagodniejsze zimy i dać samosiew.

Ipomoea purpurea

Jasminum x stephanense
Jaśmin

Uzyskany ze skrzyżowania dwóch azjatyckich gatunków (*J. beesianum x J. officinale*). Jest pnączem o cienkich, do 5 m długich, zdrewniałych w dolnej części, owijających się pędach. Liście pięciolistkowe, jajowate lub bardziej lancetowate, do 5 cm długie. Liście na końcach pędów mogą być trzylistkowe i mniejsze. Na przełomie wiosny i lata na końcach pędów rozwijają się pachnące, szeroko otwarte (do 2 cm średnicy), z długą rurką, bladoróżowe kwiatki.

Filigranowe, interesujące pnącze nadające się na wyeksponowane drabinki, kratownice trejaże. Powinno rosnąć w zacisznych, osłoniętych od wiatru i lekko ocienionych od południa stanowiskach. Potrzebuje próchnicznej, kompostowej, głęboko spulchnionej ziemi o umiarkowanej wilgotności. Nie jest w naszym klimacie zupełnie mrozoodporne. W chłodniejszych regionach wskazana osłona z mat słomianych i wysokie okopcowanie kompostem lub korą. Rozmnażanie przez letnie sadzonkowanie wierzchołków niekwitnących pędów. Młode sadzonki powinny spędzić pierwszą zimę w chłodnej szklarni.

Jasminum x stephanense

Lonicera x italica 'Sherlite'
Wiciokrzew włoski

Mieszaniec ogrodowy spotykany w handlu pod nazwami: *Lonicera x americana* 'Harlequin' i *Lonicera peryclimenum* 'Sherlite'. Jest pnączem o zdrewniałych, długich na 3-4 m, słabo owijających się, zaczerwienionych pędach. Liście owalne, jajowate, do 10 cm długie, ciemnozielone, z nieregularnym, kremowym obrzeżeniem. Kwiaty dwuwargowe, z długą rurką, z wierzchu karminoworóżowe, wewnątrz pastelowożółte, pachnące, zebrane w szczytowe baldaszki na końcach pędów. Kwitnienie przypada na maj-czerwiec.

Bardzo dekoracyjny przez cały sezon. Nadaje się na pergole, drabinki, rzadko ugałęzione drzewa. Pędom należy dopomóc we wspinaniu się, podwiązując długie, nowe przyrosty. Dobrze czuje się w rozproszonym świetle lub z nieznacznym, południowym ocienieniem. Podłoże powinno być próchniczne, głęboko skopane, latem dość wilgotne. Mrozoodporność wystarczająca. Na wschodzie kraju warto wyżej okopcować podstawę pędów. Mnożenie przez letnie sadzonkowanie półzdrewniałych pędów.

Lonicera x italica 'Sherlite'

Lygodium japonicum

Na naturalnych stanowiskach występuje w lasach Japonii, Korei i Chin. Paproć o mających 2-3 m długości, wijących się potrójnie pierzastych liściach. Listki sterylne są w zarysie trójkątne, 5-10 cm długie, głęboko klapowane. Listki płodne są drobniej podzielone z zarodnikami na brzegach blaszki.

Rarytas dla entuzjastów paproci, dość jednak kłopotliwy w uprawie. Wymaga cienkich, ale sztywnych podpór (z drutu, bambusa) i zacisznego, cienistego stanowiska. Podłoże powinno być cały sezon umiarkowanie wilgotne i niezamakające podczas zimy. Glebę należy mocno wzbogacić kompostem i kwaśnym torfem. Na Pomorzu Zachodnim i Ziemi Lubuskiej zimuje dość dobrze, wytrzymując spadki temperatury do −15°C. Zasypanie całego stanowiska grubą warstwą ścioły leśnej lub kory jest raczej konieczne. Mnożenie z zarodników — dla fachowców. Rozrośnięte kępy można dzielić wiosną przed rozwojem liści.

Lygodium japonicum

Menispermum dahuricum
Miesięcznik dahurski

Zasięg naturalnych stanowisk rozciąga się od wschodnich regionów Chin przez Koreę po wschodnią Syberię. Występuje przeważnie na obrzeżach lasów i polan, porastając krzewy i czepiając się gałęzi drzew. Jest pnączem o cienkich, czerwonawych, do 5 m długich, owijających się pędach i podobnych do bluszczu, płytko klapowanych, na 5-8 cm (maks. do 15 cm) długich, gładkich liściach. Latem zakwita wiechami drobnych, białozielonych, lekko zaczerwienionych kwiatków. Mogą się z nich zawiązać czarne, połyskliwe, niejadalne owoce. Jesienią liście przebarwiają się na żółto.

Rzadko w ogrodach spotykane, interesujące pnącze, nadające się na naścienne kratownice, drabinki lub puszczone luźno na krzewy i nisko zwisające gałęzie drzew. Najlepiej czuje się w rozproszonym świetle lub z lekkim ocienieniem od południowej strony. Podłoże powinno być przeciętnie żyzne, lekko gliniaste, latem dość wilgotne. Zimą przeważnie większość pędów obumiera, ale każdej wiosny z nasady wyrastają nowe. Podczas bezśnieżnej, mroźnej zimy warto okopcować grubą warstwą kompostu lub kory. Mnożenie łatwe przez odsadzanie rozłogowych pędów.

Menispermum dahuricum

Parthenocissus quinquefolia
Winobluszcz
pięciolistkowy

Pochodzące z wschodniego wybrzeża Ameryki Północnej pnącze o zdrewniałych, do 10-25 m długich pędach i dłoniastych liściach. Odmiana 'Star Shower' ma liście w białe i kremowe, (czasami zaróżowione) plamy, smugi, cętki. Niektóre liście mogą być zupełnie zielone lub prawie bezchlorofilowe.

Bardzo z liści ozdobne, szybko rosnące pnącze, przydatne na większe pergole lub ściany budynków. Pędy przytrzymują się podpór wąsami czepnymi i przylgami. Barwnolistna odmiana wymaga stanowisk w rozproszonym świetle lub z bocznym, południowym ocienieniem. Nadmiar słońca może przypalać jaśniejsze liście. Podłoże powinno być dość żyzne, próchniczne, umiarkowanie wilgotne. Mrozoodporność wystarczająca. Mnożenie łatwe przez odcinanie zakorzeniających się, leżących na podłożu pędów lub sadzonki zielne latem.

Parthenocissus 'Star Shower'

Rubus henryi
Jeżyna Henry'ego

W ogrodach botanicznych i zaawansowanych kolekcjach można spotkać odmianę *var. bambusarum* pochodzącą ze środkowej i zachodniej części Chin. Jest zimozielonym pnączem o cienkich, do 6 m długich, rozgałęzionych, kolczastych pędach. Młode pędy są pokryte jasnym, pajęczynowatym kutnerem. Liście trzyklapowe, lancetowate (12 × 3 cm), z wierzchu gładkie, ciemnozielone, a od spodu z jasnym kutnerem i haczykowatymi kolcami na nerwie. Latem rozwijają się wydłużone grona różowych, do 2 cm średnicy kwiatków. Później czarne, błyszczące, mające ok. 1,5 cm średnicy jagody.

Malownicze, silnie rosnące pnącze, najbardziej nadające się na porastanie wyższych drzew lub na silne pergole. Najlepiej czuje się w rozproszonym świetle lub z południowym ocienieniem. Podłoże powinno być próchniczne, głęboko skopane, umiarkowanie wilgotne. Mrozoodporność wystarczająca. W bardzo mroźne i wietrzne zimy młodsze części pędów i liście mogą obumierać. Po przycięciu wiosną odrastają ponownie ze zdrewniałej szyi korzeniowej. Mnożenie łatwe, gdyż wierzchołki młodych pędów przyrastają do podłoża, dając materiał sadzeniowy.

Rubus henryi var. bambusarum — pokrój
Rubus henryi — kwiaty

Thladiantha dubia
Tladianta zwodna

Azjatyckie pnącze o cienkich, do 3 m długich, wyrastających z ziemniakowatych bulw pędach posiadających wąsy czepne. Liście sercowate, do 10 cm długie, szorstkie. Latem, w kątach liści pojedynczo lub po kilka pojawiają się żółte, szerokodzwonkowate, mające do 2 cm średnicy kwiatki. Mogą z nich się zawiązać podługowate, mięsiste, do 5 cm długie, czerwonawe owoce. Jesienią część liści przebarwia się na złoto.

Rzadko w ogrodach spotykane, szybko rosnące pnącze przydatne do zakrywania starych płotów, usychających drzew lub na większe pergole. Dobrze czuje się na próchnicznej, przepuszczalnej, latem dość wilgotnej glebie. Zimuje dobrze, a na odpowiednich stanowiskach może z czasem okazać się inwazyjna. Rozmnażanie łatwe przez przesadzenie jesienią lub wiosną bulw.

Thladiantha dubia

Skorowidz nazw roślin

Notatki